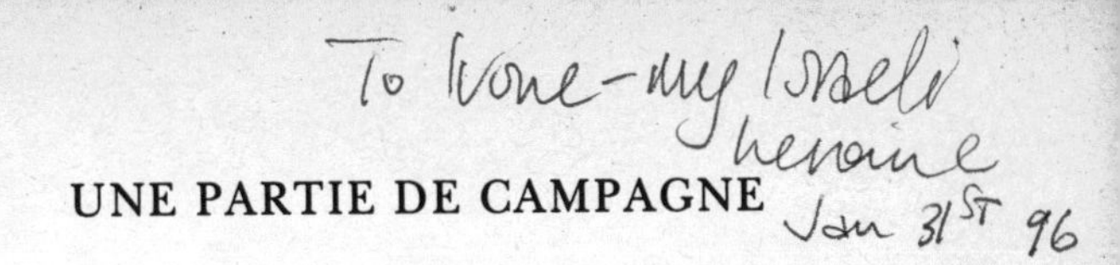

UNE PARTIE DE CAMPAGNE

Dans la même collection :

BALZAC, Adieu.
Le Chef-d'œuvre inconnu.
CHAMISSO, L'Étrange Histoire de Peter Schlemihl.
CHARLES D'ORLÉANS, L'Écolier de Mélancolie.
CHRISTIE, Les Plans du sous-marin.
COLETTE, Les Vrilles de la vigne.
DIDEROT, Supplément au Voyage de Bougainville.
FLAUBERT, Un cœur simple.
FRANCE, Les Autels de la peur.
GAUTIER, Arria Marcella.
HOFFMANN, Mademoiselle de Scudéry.
HUGO, Claude Gueux.
LABICHE, La Cagnotte.
LEBLANC, L'Arrestation d'Arsène Lupin.
LONGUS, Daphnis et Chloé.
MARIE DE FRANCE, Le Lai de Lanval.
MAUPASSANT, La Parure.
Le Horla.
MÉRIMÉE, La Vénus d'Ille.
Lokis.
NERVAL, La Main enchantée.
NODIER, Trilby.
SUÉTONE, Vie de Néron.
TCHEKHOV, La Steppe.
VOLTAIRE, La Princesse de Babylone.
XXX, Chansons d'amour du Moyen Âge.
Le Jugement de Renart.

LES CLASSIQUES D'AUJOURD'HUI

GUY DE MAUPASSANT

Une partie de campagne

suivi de

Une partie de campagne

scénario et dossier du film de Jean Renoir

Présentation et notes de
Henry Gidel

Découpage du scénario par
Marie-Paule Veyret
(inspecteur pédagogique régional)

LE LIVRE DE POCHE

Présentation de la nouvelle de Maupassant

Une vie... Le titre de ce roman de Guy de Maupassant, paru trois ans plus tard, aurait déjà pu être utilisé pour *Une partie de campagne* dont il aurait parfaitement résumé le sujet. Car il s'agit bien du déroulement d'un destin, celui d'Henriette Dufour, fille d'un quincaillier parisien : sacrifiée au dieu Commerce, il lui faut épouser l'insignifiant commis de magasin, le « jeune homme aux cheveux jaunes » que lui imposent ses parents. Pourtant son destin eût pu être tout différent : un beau dimanche de mai elle avait rencontré Henri, un robuste canoétiste avec lequel elle avait connu l'amour... aventure sans lendemain dont elle rêvera toute sa morne vie.

En contrepoint, Pétronille Dufour, sa mère, grosse femme sans charme, mariée à un homme qui ne l'a jamais comprise, semble être l'image désolante de ce que sera Henriette vingt ans plus tard. Au cours de cette partie de campagne, le compagnon d'Henri, pour lui rendre service et par désœuvrement, lutine sans conviction la mère d'Henriette qu'il empêche ainsi de surveiller la jeune fille. Il n'en faut pas plus pour réveiller les sens de la dame qui se reprend à espérer une bien improbable idylle.

Le sort des autres personnages est-il plus enviable ? Une rapide étude de leurs caractères et de leur comportement montrerait qu'il n'en est rien. Le manque de communication est quasi total entre ces êtres murés en eux-mêmes.

Cette vision consternante de l'humanité est, au premier regard, en plein accord avec le réalisme et le naturalisme ambiants. Fils adoptif et disciple de Flaubert, Maupassant partage avec lui son goût pour les destins ratés. La fin de la nouvelle nous montre Henriette, sœur cadette d'Emma Bovary, déjà adultère en pensée. En matière de pessimisme, l'auteur d'*Une partie de campagne*, dépassant son maître, insiste, comme son ami Zola, sur les aspects les plus repoussants de nombre de ses personnages. Ainsi madame Dufour, note-t-il, laissait « voir le bas d'une jambe dont la finesse primitive disparaissait sous un amas de graisse tombant des cuisses ». Pour la faire descendre de voiture, son mari la soulève comme un « énorme paquet ». Lui-même et son futur gendre « à la tignasse de lin » ne sont pas mieux traités. Après un repas trop arrosé, les deux hommes « tout à fait pochards », « lourds, flasques et écarlates » se pendent « gauchement aux anneaux sans parvenir à s'élever ».

On retrouve chez Maupassant la haine bien connue des petits bourgeois qui, née sous les Romantiques, traverse tout le XIXe siècle. Et il montre sarcastiquement chez ces boutiquiers « privés d'herbe et affamés de promenades aux champs cet amour bête de la nature qui les hante toute l'année » derrière leurs comptoirs.

Dans la même perspective on notera que l'auteur fait traverser à ses personnages un authentique paysage naturaliste qui aurait pu être évoqué de façon identique par les Goncourt ou le Huysmans première manière : « Une campagne interminablement nue, sale et puante où de longues cheminées constituent la "seule végétation de ces champs putrides". »

Une lettre écrite à Flaubert fin 1878 résume bien l'esprit qui anime ces pages : « Je vois des choses farces, farces, farces et d'autres qui sont tristes, tristes, tristes. En somme tout le monde est bête, ici comme ailleurs. »

On aurait tort, malgré tout, d'en rester chez Maupassant à cette vision cynique et désespérée du monde et de la société. Sous son ironie se dissimule une authentique sensibilité que seule sa pudeur l'empêche de laisser paraître. Ainsi lorsque parlant d'Henriette, il évoque cet « idéal bleu » cher aux « pauvres petits cœurs des fillettes attendries » ou retrace en quelques mots l'issue consternante d'une idylle si heureusement commencée.

D'autre part, il y a dans certaines pages de la nouvelle un sentiment poétique de la nature, si puissant qu'il fait oublier la bêtise et la vulgarité des personnages aussi bien que la laideur des banlieues. C'est le cas lorsque l'auteur évoque les amours d'Henriette dans le décor de « l'île aux Anglais », inextricable fouillis de lianes, de feuilles et de roseaux, amours rythmées par les chants d'un rossignol : ils « semblaient se perdre à l'horizon, se déroulant le long du fleuve et s'envolant au-dessus des plaines, à travers le silence de feu qui appesantissait la campagne ».

Sans nul doute Maupassant évoque dans ce récit sa propre expérience de canoétiste : il fait revivre ces matinées pendant lesquelles, filant sur sa yole, il longeait les berges « où des arbres entiers trempent leurs branches dans l'eau, où tremblote l'éternel frisson des roseaux et d'où s'envolent comme des éclairs bleus de rapides martins-pêcheurs ».

Une partie de campagne, *Sur l'eau* et *Mouche*, publiés entre 1881 et 1890, font partie de ce que Maupassant appelait lui-même, avec plusieurs autres œuvres, ses « contes de canotage ». Le genre qu'il inaugurait, des tableaux de mœurs ayant pour cadre les bords de la Seine, correspondait à une réalité bien vivante : la vogue toute récente des plaisirs de l'eau. À la belle saison, chaque dimanche, des milliers de Parisiens, avides d'évasion, affluaient à l'ouest de la capitale, sur les rives du fleuve, où fourmillaient, à côté des loueurs de bateaux, barques ou yoles, guinguettes et bals populaires.

Les établissements les plus fréquentés étaient La Grenouillère, un restaurant flottant installé près de l'île de Chatou, et non loin de là, le restaurant Fournaise.

Quelques années avant que Maupassant prît ces lieux pour décor, les peintres impressionnistes en avaient déjà fait leur coin préféré. La Seine a joué dans le développement de leur technique un rôle essentiel, leur fournissant d'innombrables motifs : l'eau elle-même, avec ses couleurs et ses reflets en perpétuel changement, les barques et les voiliers, les canotiers, les promeneurs des berges, les clients des guinguettes... Il n'est que de citer parmi les peintres qui furent séduits par ces rivages, Auguste Renoir, Alfred Sisley, Berthe Morisot, Édouard Manet, Gustave Caillebotte ou Claude Monet qui avait aménagé un bateau-atelier.

Cette vogue de la Seine attire à son tour le jeune Maupassant. Entré comme commis au ministère de l'Instruction publique en 1878, il était devenu, pour oublier la tristesse du bureau, un fervent adepte de la yole. « Ma grande, ma seule, mon absorbante passion, pendant dix ans, ce fut la Seine », a-t-il écrit plus tard. Il lui arrivait souvent de louer une chambre dans une auberge pour pouvoir, dès l'aube, utiliser son embarcation. Bien entendu, il fréquentait assidûment les autres canotiers ainsi que la bande de jeunes femmes qui dansaient à La Grenouillère et dispensaient leurs faveurs avec une générosité appréciée de tous.

La nouvelle de Maupassant, si elle n'est pas autobiographique à proprement parler, se nourrit donc en abondance de souvenirs personnels, ce qui contribue pour une large part à lui conférer ce cachet d'authenticité qui constitue un de ses mérites essentiels.

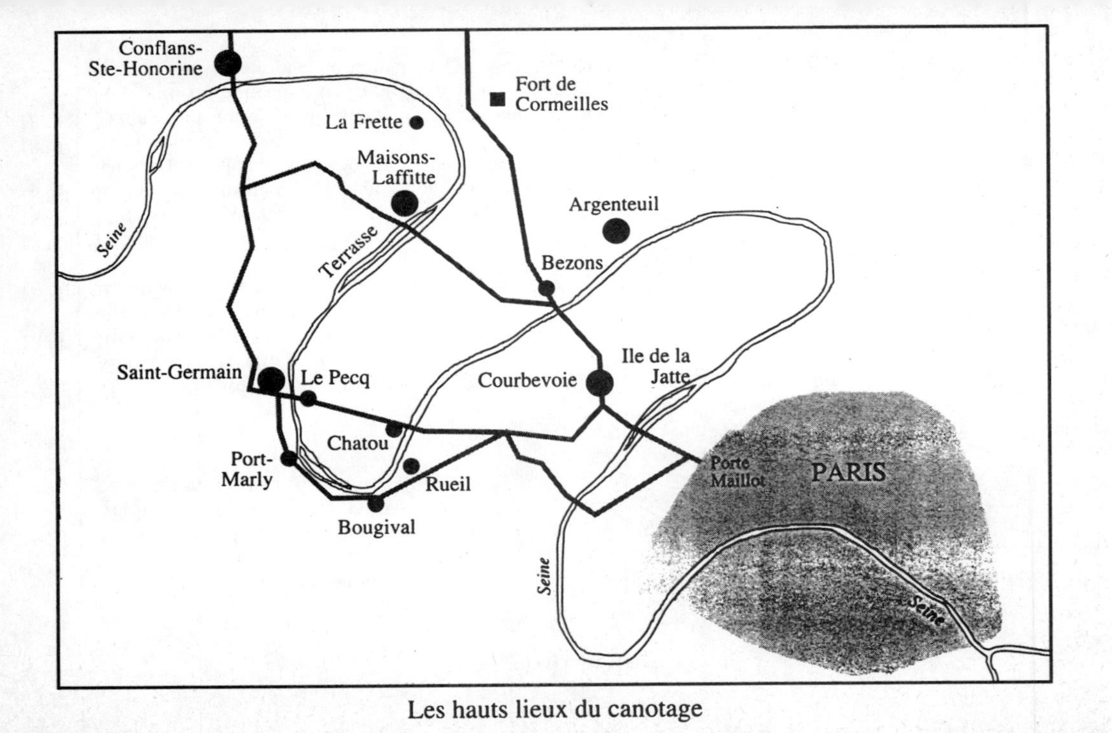

Les hauts lieux du canotage

Chronologie

	Vie de Maupassant	Événements politiques et littéraires
1870	Né le 5 août 1850 au château de Miromesnil (Seine-Maritime), Guy de Maupassant s'engage dans l'armée où il restera jusqu'en janvier 1872.	Guerre avec la Prusse (1er septembre).
1871		La Commune (mars-mai). 10 mai. Traité de Francfort par lequel la France cède l'Alsace-Lorraine.
1872	Maupassant devient fonctionnaire au ministère de la Marine où il restera jusqu'en 1878.	Daudet publie *Tartarin*.
1873	Il commence à canoter sur la Seine, sport qu'il pratiquera pendant dix ans.	Rimbaud : *Une saison en enfer*.
1875	Il publie son premier conte, *La Main d'écorché*.	Zola : *La Faute de l'abbé Mouret*. Constitution de la IIIe République.
1876	Publication de *Sur l'eau* (conte).	
1877	Maupassant apprend qu'il a contracté la syphilis.	Daudet : *Le Nabab*. Flaubert : *Trois Contes*.
1878	Il entre au ministère de l'Instruction publique. Débuts dans le journalisme. Collaboration au *Gaulois*.	Exposition universelle.
1879	Voyage en Bretagne.	Zola : *Nana*.
1880	Maupassant quitte le ministère. Il devient chroniqueur au *Gaulois*. Publication de *Boule de Suif* dans *Les Soirées de Médan*. Progrès de la maladie.	Verlaine : *Sagesse*. Mort de Flaubert.

1881	*La Maison Tellier*, recueil de nouvelles où figure *Une partie de campagne*. Voyage en Algérie.	Pierre Loti : *Le Roman d'un spahi*. A. France publie son premier roman : *Le Crime de Sylvestre Bonnard*.
1882	*Mademoiselle Fifi* (recueil).	Becque : *Les Corbeaux*.
1883	*Une vie*, premier roman de Maupassant. *Les Contes de la bécasse*.	Villiers de L'Isle-Adam : *Contes cruels*.
1884	60 chroniques ou contes dans la presse. *Miss Harriet*, *Les Sœurs Rondoli* (recueils).	Huysmans : *À rebours*. Verlaine : *Jadis et Naguère*.
1885	*Bel-Ami* (roman) Cure à Châtel-Guyon. Achat du yacht *Bel-Ami*.	Becque : *La Parisienne*. Zola : *Germinal*.
1886	*La Petite-Roque* (recueil). *Mont-Oriol* (roman). *Monsieur Parent* (recueil).	Rimbaud : publication des *Illuminations*.
1887	*Le Horla*. *Pierre et Jean* (roman). Voyage en Algérie.	Mallarmé : *Poésies*.
1888	*Le Rosier de madame Husson* (recueil).	
1889	*La Main gauche* (recueil). *Fort comme la mort* (roman). Internement psychiatrique et mort du frère de Maupassant.	Bourget : *Le Disciple*.
1890	*Notre cœur*, roman inachevé. *L'Inutile Beauté* (recueil).	
1891	Premières atteintes de paralysie générale.	Mort de Rimbaud. Porto-Riche : *Amoureuse*.
1892	Tentative de suicide. Internement à la maison de santé du docteur Blanche, à Passy, le 7 janvier.	Barrès : *L'Ennemi des lois*.
1893	Mort de Maupassant le 6 juillet. Il est enterré le 7 au cimetière Montparnasse.	Courteline : *Boubouroche* Maeterlinck : *Pelléas et Mélisande*.

UNE PARTIE DE CAMPAGNE
de
Guy de Maupassant

D.R.

Guy de Maupassant

On avait projeté depuis cinq mois d'aller déjeuner aux environs de Paris, le jour de la fête de Mme Dufour, qui s'appelait Pétronille. Aussi, comme on avait attendu cette partie impatiemment, s'était-on levé de fort bonne heure ce matin-là.

M. Dufour, ayant emprunté la voiture du laitier, conduisait lui-même. La carriole, à deux roues, était fort propre ; elle avait un toit supporté par quatre montants de fer où s'attachaient des rideaux qu'on avait relevés pour voir le paysage. Celui de derrière, seul, flottait au vent, comme un drapeau. La femme, à côté de son époux, s'épanouissait dans une robe de soie cerise extraordinaire. Ensuite, sur deux chaises, se tenaient une vieille grand-mère et une jeune fille. On apercevait encore la chevelure jaune d'un garçon qui, faute de siège, s'était étendu tout au fond, et dont la tête seule apparaissait.

Après avoir suivi l'avenue des Champs-Élysées et franchi les fortifications à la porte Maillot[1], on s'était mis à regarder la contrée.

En arrivant au pont de Neuilly, M. Dufour avait dit : « Voici la campagne enfin ! » — et sa femme, à ce signal, s'était attendrie sur la nature.

Au rond-point de Courbevoie[2], une admiration les avait saisis devant l'éloignement des horizons. À droite, là-bas,

---

1. C'est-à-dire l'enceinte de Louis-Philippe, détruite depuis et qui a fait place au boulevard périphérique. — 2. Commune des Hauts-de-Seine. Au rond-point se trouve actuellement le quartier de la Défense.

c'était Argenteuil[1], dont le clocher se dressait ; au-dessus apparaissaient les buttes de Sannois[2] et le Moulin d'Orgemont. À gauche, l'aqueduc de Marly[3] se dessinait sur le ciel clair du matin, et l'on apercevait aussi, de loin, la terrasse de Saint-Germain[4] ; tandis qu'en face, au bout d'une chaîne de collines, des terres remuées indiquaient le nouveau fort de Cormeilles[5]. Tout au fond, dans un reculement formidable, par-dessus des plaines et des villages, on entrevoyait une sombre verdure de forêts.

Le soleil commençait à brûler les visages ; la poussière emplissait les yeux continuellement, et, des deux côtés de la route, se développait une campagne interminablement nue, sale et puante. On eût dit qu'une lèpre l'avait ravagée, qui rongeait jusqu'aux maisons, car des squelettes de bâtiments défoncés et abandonnés, ou bien des petites cabanes inachevées faute de paiement aux entrepreneurs, tendaient leurs quatre murs sans toit.

De loin en loin, poussaient dans le sol stérile de longues cheminées de fabriques, seule végétation de ces champs putrides où la brise du printemps promenait un parfum de pétrole et de schiste[6] mêlé à une autre odeur moins agréable encore.

Enfin, on avait traversé la Seine une seconde fois, et, sur le pont, ç'avait été un ravissement. La rivière éclatait de lumière ; une buée s'en élevait, pompée par le soleil, et l'on éprouvait une quiétude douce, un rafraîchissement bienfaisant à respirer enfin un air plus pur qui n'avait point balayé la fumée noire des usines ou les miasmes des dépotoirs.

Un homme qui passait avait nommé le pays : Bezons[7].

La voiture s'arrêta, et M. Dufour se mit à lire l'enseigne engageante d'une gargote : « *Restaurant Poulin*[8] *; matelotes et fritures, cabinets de société, bosquets et balançoires.* » —

---

1. Commune du Val-d'Oise, à l'est-nord-est de Paris, sur les bords de la Seine. Un des hauts-lieux de l'impressionnisme avec Chatou et Bougival. — **2.** Commune du Val-d'Oise, au nord d'Argenteuil. — **3.** Il servait à alimenter Versailles. — **4.** Commune des Yvelines, à 15 kilomètres à l'ouest de Paris. Sa terrasse, longue de 2 kilomètres, domine la Seine. — **5.** Commune du Val-d'Oise, au nord-est de Paris. — **6.** Type de roche à structure feuilletée. — **7.** Commune du Val-d'Oise, sur la Seine, près d'Argenteuil. — **8.** Situé près du pont de Bezons, le restaurant Poulin (ou Poulain) accueillait souvent Maupassant.

Auguste Renoir, *La Grenouillère*, 1869, Stockholm, musée national.

« La rivière éclatait de lumière ; une buée s'en élevait, pompée par le soleil, et l'on éprouvait une quiétude douce, un rafraîchissement bienfaisant à respirer enfin un air plus pur. »

Eh bien ! madame Dufour, cela te va-t-il ? Te décideras-tu à la fin ? »

La femme lut à son tour : « *Restaurant Poulin, matelotes et fritures, cabinets de société, bosquets et balançoires.* » Puis elle regarda la maison longuement.

C'était une auberge de campagne, blanche, plantée au bord de la route. Elle montrait, par la porte ouverte, le zinc brillant du comptoir devant lequel se tenaient deux ouvriers endimanchés.

À la fin, Mme Dufour se décida : « Oui, c'est bien, dit-elle ; et puis il y a de la vue. » La voiture entra dans un vaste terrain planté de grands arbres qui s'étendait derrière l'auberge et qui n'était séparé de la Seine que par le chemin de halage.

Alors on descendit. Le mari sauta le premier, puis ouvrit les bras pour recevoir sa femme. Le marchepied, tenu par deux branches de fer, était très loin, de sorte que, pour l'atteindre, Mme Dufour dut laisser voir le bas d'une jambe dont la finesse primitive disparaissait à présent sous un envahissement de graisse tombant des cuisses.

M. Dufour, que la campagne émoustillait déjà, lui pinça vivement le mollet, puis, la prenant sous les bras, la déposa lourdement à terre, comme un énorme paquet.

Elle tapa avec la main sa robe de soie pour en faire tomber la poussière, puis regarda l'endroit où elle se trouvait.

C'était une femme de trente-six ans environ, forte en chair, épanouie et réjouissante à voir. Elle respirait avec peine, étranglée violemment par l'étreinte de son corset trop serré ; et la pression de cette machine rejetait jusque dans son double menton la masse fluctuante de sa poitrine surabondante.

La jeune fille ensuite, posant la main sur l'épaule de son père, sauta légèrement toute seule. Le garçon aux cheveux jaunes était descendu en mettant un pied sur la roue, et il aida M. Dufour à décharger la grand-mère.

Alors on dételа le cheval, qui fut attaché à un arbre ; et la voiture tomba sur le nez, les deux brancards à terre. Les hommes, ayant retiré leurs redingotes, se lavèrent les mains dans un seau d'eau, puis rejoignirent leurs dames installées déjà sur les escarpolettes.

Mlle Dufour essayait de se balancer debout, toute seule, sans parvenir à se donner un élan suffisant. C'était une belle fille de dix-huit à vingt ans ; une de ces femmes dont la rencontre dans la rue vous fouette d'un désir subit, et vous laisse jusqu'à la nuit une inquiétude vague et un soulèvement des sens. Grande, mince de taille et large des hanches, elle avait la peau très brune, les yeux très grands, les cheveux très noirs. Sa robe dessinait nettement les plénitudes fermes de sa chair qu'accentuaient encore les efforts des reins qu'elle faisait pour s'enlever. Ses bras tendus tenaient les cordes au-dessus de sa tête, de sorte que sa poitrine se dressait, sans une secousse, à chaque impulsion qu'elle donnait. Son chapeau, emporté par un coup de vent, était tombé derrière elle ; et l'escarpolette peu à peu se lançait, montrant à chaque retour ses jambes fines jusqu'au genou, et jetant à la figure des deux hommes, qui la regardaient en riant, l'air de ses jupes, plus capiteux que les vapeurs du vin.

Assise sur l'autre balançoire, Mme Dufour gémissait d'une façon monotone et continue : « Cyprien, viens me pousser ; viens donc me pousser, Cyprien ! » À la fin, il y alla et, ayant retroussé les manches de sa chemise, comme avant d'entreprendre un travail, il mit sa femme en mouvement avec une peine infinie.

Cramponnée aux cordes, elle tenait ses jambes droites, pour ne point rencontrer le sol, et elle jouissait d'être étourdie par le va-et-vient de la machine. Ses formes, secouées, tremblotaient continuellement comme de la gelée sur un plat. Mais, comme les élans grandissaient, elle fut prise de vertige et de peur. À chaque descente, elle poussait un cri perçant qui faisait accourir tous les gamins du pays ; et, là-bas, devant elle, au-dessus de la haie du jardin, elle apercevait vaguement une garniture de têtes polissonnes que des rires faisaient grimacer diversement.

Une servante étant venue, on commanda le déjeuner.

« Une friture de Seine, un lapin sauté, une salade et du dessert, articula Mme Dufour, d'un air important. — Vous apporterez deux litres et une bouteille de bordeaux, dit son mari. — Nous dînerons sur l'herbe », ajouta la jeune fille.

La grand-mère, prise de tendresse à la vue du chat de la

maison, le poursuivait depuis dix minutes en lui prodiguant inutilement les plus douces appellations. L'animal, intérieurement flatté sans doute de cette attention, se tenait toujours tout près de la main de la bonne femme, sans se laisser atteindre cependant, et faisait tranquillement le tour des arbres, contre lesquels il se frottait, la queue dressée, avec un petit ronron de plaisir.

« Tiens ! cria tout à coup le jeune homme aux cheveux jaunes qui furetait dans le terrain, en voilà des bateaux qui sont chouet [1] ! » On alla voir. Sous un petit hangar en bois étaient suspendues deux superbes yoles [2] de canotiers, fines et travaillées comme des meubles de luxe. Elles reposaient côte à côte, pareilles à deux grandes filles minces, en leur longueur étroite et reluisante, et donnaient envie de filer sur l'eau par les belles soirées douces ou les claires matinées d'été, de raser les berges fleuries où des arbres entiers trempent leurs branches dans l'eau, où tremblote l'éternel frisson des roseaux et d'où s'envolent, comme des éclairs bleus, de rapides martins-pêcheurs.

Toute la famille, avec respect, les contemplait. « Oh ! ça oui, c'est chouet », répéta gravement M. Dufour. Et il les détaillait en connaisseur. Il avait canoté, lui aussi, dans son jeune temps, disait-il ; voire même qu'avec ça dans la main — et il faisait le geste de tirer sur les avirons — il se fichait de tout le monde. Il avait rossé en course plus d'un Anglais, jadis, à Joinville [3] ; et il plaisanta sur le mot « *dames* », dont on désigne les deux montants qui retiennent les avirons, disant que les canotiers, et pour cause, ne sortaient jamais sans leurs *dames*. Il s'échauffait en pérorant et proposait obstinément de parier qu'avec un bateau comme ça, il ferait six lieues à l'heure sans se presser.

« C'est prêt » dit la servante qui apparut à l'entrée.

On se précipita ; mais voilà qu'à la meilleure place, qu'en son esprit Mme Dufour avait choisie pour s'installer, deux jeunes gens déjeunaient déjà. C'étaient les propriétai-

---

1. Variante orthographique de l'adjectif *chouette*, parfois en usage au XIXe siècle. — **2.** Embarcations non pontées, étroites et allongées, propulsées à l'aviron et dotées d'un gouvernail. — **3.** Joinville-le-Pont, petite commune du Val-de-Marne, à l'est de Paris, sur la Marne. Des courses nautiques y étaient régulièrement organisées.

res des yoles, sans doute, car ils portaient le costume des canotiers.

Ils étaient étendus sur des chaises, presque couchés. Ils avaient la face noircie par le soleil et la poitrine couverte seulement d'un mince maillot de coton blanc qui laissait passer leurs bras nus, robustes comme ceux des forgerons. C'étaient deux solides gaillards, posant[1] beaucoup pour la vigueur, mais qui montraient en tous leurs mouvements cette grâce élastique des membres qu'on acquiert par l'exercice, si différente de la déformation qu'imprime à l'ouvrier l'effort pénible, toujours le même.

Ils échangèrent rapidement un sourire en voyant la mère, puis un regard en apercevant la fille. « Donnons notre place, dit l'un, ça nous fera faire connaissance. » L'autre aussitôt se leva et, tenant à la main sa toque mi-partie rouge et mi-partie noire, il offrit chevaleresquement de céder aux dames le seul endroit du jardin où ne tombât point le soleil. On accepta en se confondant en excuses ; et pour que ce fût plus champêtre, la famille s'installa sur l'herbe sans table ni sièges.

Les deux jeunes gens portèrent leur couvert quelques pas plus loin et se remirent à manger. Leurs bras nus, qu'ils montraient sans cesse, gênaient un peu la jeune fille. Elle affectait même de tourner la tête et de ne point les remarquer, tandis que Mme Dufour, plus hardie, sollicitée par une curiosité féminine qui était peut-être du désir, les regardait à tout moment, les comparant sans doute avec regret aux laideurs secrètes de son mari.

Elle s'était éboulée sur l'herbe, les jambes pliées à la façon des tailleurs, et elle se trémoussait continuellement, sous prétexte que des fourmis lui étaient entrées quelque part. M. Dufour, rendu maussade par la présence et l'amabilité des étrangers, cherchait une position commode qu'il ne trouva pas du reste, et le jeune homme aux cheveux jaunes mangeait silencieusement comme un ogre.

« Un bien beau temps, monsieur », dit la grosse dame à l'un des canotiers. Elle voulait être aimable à cause de la

---

1. Prenant des attitudes étudiées pour se faire remarquer.

place qu'ils avaient cédée. « Oui, madame, répondit-il ; venez-vous souvent à la campagne ?

— Oh ! une fois ou deux par an seulement, pour prendre l'air ; et vous, monsieur ?

— J'y viens coucher tous les soirs.

— Ah ! ça doit être bien agréable ?

— Oui, certainement, madame. »

Et il raconta sa vie de chaque jour, poétiquement, de façon à faire vibrer dans le cœur de ces bourgeois privés d'herbe et affamés de promenades aux champs cet amour bête de la nature qui les hante toute l'année derrière le comptoir de leur boutique.

La jeune fille, émue, leva les yeux et regarda le canotier. M. Dufour parla pour la première fois. « Ça, c'est une vie », dit-il. Il ajouta : « Encore un peu de lapin, ma bonne. — Non, merci, mon ami. »

Elle se tourna de nouveau vers les jeunes gens, et montrant leurs bras : « Vous n'avez jamais froid comme ça ? » dit-elle.

Ils se mirent à rire tous les deux, et ils épouvantèrent la famille par le récit de leurs fatigues prodigieuses, de leurs bains pris en sueur, de leurs courses dans le brouillard des nuits ; et ils tapèrent violemment sur leur poitrine pour montrer quel son ça rendait. « Oh ! vous avez l'air solides », dit le mari qui ne parlait plus du temps où il rossait les Anglais.

La jeune fille les examinait de côté maintenant, et le garçon aux cheveux jaunes, ayant bu de travers, toussa éperdument, arrosant la robe en soie cerise de la patronne qui se fâcha et fit apporter de l'eau pour laver les taches.

Cependant, la température devenait terrible. Le fleuve étincelant semblait un foyer de chaleur, et les fumées du vin troublaient les têtes.

M. Dufour, que secouait un hoquet violent, avait déboutonné son gilet et le haut de son pantalon tandis que sa femme, prise de suffocations, dégrafait sa robe peu à peu. L'apprenti balançait d'un air gai sa tignasse de lin et se versait à boire coup sur coup. La grand-mère, se sentant grise, se tenait fort raide et fort digne. Quant à la jeune fille, elle ne laissait rien paraître, son œil seul s'allumait vaguement, et sa peau très brune se colorait aux joues d'une teinte plus rose.

Le café les acheva. On parla de chanter et chacun dit son couplet, que les autres applaudirent avec frénésie. Puis on se leva difficilement, et, pendant que les deux femmes, étourdies, respiraient, les deux hommes, tout à fait pochards, faisaient de la gymnastique. Lourds, flasques, et la figure écarlate, ils se pendaient gauchement aux anneaux sans parvenir à s'enlever, et leurs chemises menaçaient continuellement d'évacuer leurs pantalons pour battre au vent comme des étendards.

Cependant les canotiers avaient mis leurs yoles à l'eau et ils revenaient avec politesse proposer aux dames une promenade sur la rivière.

« Monsieur Dufour, veux-tu ? je t'en prie ! » cria sa femme. Il la regarda d'un air d'ivrogne, sans comprendre. Alors un canotier s'approcha, deux lignes de pêcheur à la main. L'espérance de prendre du goujon, cet idéal des boutiquiers, alluma les yeux mornes du bonhomme, qui permit tout ce qu'on voulut, et s'installa à l'ombre, sous le pont, les pieds ballants au-dessus du fleuve, à côté du jeune homme aux cheveux jaunes qui s'endormit auprès de lui.

Un des canotiers se dévoua : il prit la mère. « Au petit bois de l'île aux Anglais[1] ! » cria-t-il en s'éloignant.

L'autre yole s'en alla plus doucement. Le rameur regardait tellement sa compagne qu'il ne pensait plus à autre chose, et une émotion l'avait saisi qui paralysait sa vigueur.

La jeune fille, assise dans le fauteuil du barreur, se laissait aller à la douceur d'être sur l'eau. Elle se sentait prise d'un renoncement de pensées, d'une quiétude de ses membres, d'un abandonnement d'elle-même, comme envahie par une ivresse multiple. Elle était devenue fort rouge avec une respiration courte. Les étourdissements du vin, développés par la chaleur torrentielle qui ruisselait autour d'elle, faisaient saluer sur son passage tous les arbres de la berge. Un besoin vague de jouissance, une fermentation du sang parcouraient sa chair excitée par les ardeurs de ce jour ; et elle était aussi troublée dans ce tête-à-tête sur l'eau, au

1. L'île d'Herblay.

D.R.

L'Éclusée, gravure de Rousseau d'après Jean-Jacques Gueldry.

« Cependant, les canotiers avaient mis leurs yoles à l'eau et ils revenaient avec politesse proposer aux dames une promenade sur la rivière. »

milieu de ce pays dépeuplé par l'incendie du ciel, avec ce jeune homme qui la trouvait belle, dont l'œil lui baisait la peau, et dont le désir était pénétrant comme le soleil.

Leur impuissance à parler augmentait leur émotion, et ils regardaient les environs. Alors, faisant un effort, il lui demanda son nom. « Henriette », dit-elle. « Tiens ! moi je m'appelle Henri », reprit-il.

Le son de leur voix les avait calmés ; ils s'intéressèrent à la rive. L'autre yole s'était arrêtée et paraissait les attendre. Celui qui la montait cria : « Nous vous rejoindrons dans le bois ; nous allons jusqu'à Robinson[1], parce que Madame a soif. » Puis il se coucha sur les avirons et s'éloigna si rapidement qu'on cessa bientôt de le voir.

Cependant un grondement continu qu'on distinguait vaguement depuis quelque temps s'approchait très vite. La rivière elle-même semblait frémir comme si le bruit sourd montait de ses profondeurs.

« Qu'est-ce qu'on entend ? » demanda-t-elle.

C'était la chute du barrage qui coupait le fleuve en deux à la pointe de l'île. Lui se perdait dans une explication, lorsque, à travers le fracas de la cascade, un chant d'oiseau qui semblait très lointain les frappa. « Tiens, dit-il, les rossignols chantent dans le jour : c'est donc que les femelles couvent. »

Un rossignol ! Elle n'en avait jamais entendu, et l'idée d'en écouter un fit se lever dans son cœur la vision des poétiques tendresses. Un rossignol ! c'est-à-dire l'invisible témoin des rendez-vous d'amour qu'invoquait Juliette sur son balcon ; cette musique du ciel accordée aux baisers des hommes ; cet éternel inspirateur de toutes les romances langoureuses qui ouvrent un idéal bleu aux pauvres petits cœurs des fillettes attendries !

Elle allait donc entendre un rossignol.

« Ne faisons pas de bruit, dit son compagnon, nous pourrons descendre dans le bois et nous asseoir tout près de lui. »

La yole semblait glisser. Des arbres se montrèrent sur

---

1. Non pas la ville de Robinson, située à l'ouest de Sceaux, mais l'auberge de Bezons, appelée Au Robinson du pêcheur.

l'île, dont la berge était si basse que les yeux plongeaient dans l'épaisseur des fourrés. On s'arrêta ; le bateau fut attaché ; et, Henriette s'appuyant sur le bras de Henri, ils s'avancèrent entre les branches. « Courbez-vous », dit-il. Elle se courba, et ils pénétrèrent dans un inextricable fouillis de lianes, de feuilles et de roseaux, dans un asile introuvable qu'il fallait connaître et que le jeune homme appelait en riant « son cabinet particulier ».

Juste au-dessus de leur tête, perché dans un des arbres qui les abritaient, l'oiseau s'égosillait toujours. Il lança des trilles et des roulades, puis fila de grands sons vibrants qui emplissaient l'air et semblaient se perdre à l'horizon, se déroulant le long du fleuve et s'envolant au-dessus des plaines, à travers le silence de feu qui appesantissait la campagne.

Ils ne parlaient pas de peur de le faire fuir. Ils étaient assis l'un près de l'autre, et lentement, le bras de Henri fit le tour de la taille de Henriette et l'enserra d'une pression douce. Elle prit, sans colère, cette main audacieuse, et elle l'éloignait sans cesse à mesure qu'il la rapprochait, n'éprouvant du reste aucun embarras de cette caresse, comme si c'eût été une chose toute naturelle qu'elle repoussait aussi naturellement.

Elle écoutait l'oiseau, perdue dans une extase. Elle avait des désirs infinis de bonheur, des tendresses brusques qui la traversaient, des révélations de poésies surhumaines, et un tel amollissement des nerfs et du cœur, qu'elle pleurait sans savoir pourquoi. Le jeune homme la serrait contre lui maintenant ; elle ne le repoussait plus, n'y pensant pas.

Le rossignol se tut soudain. Une voix éloignée cria : « Henriette ! »

« Ne répondez point, dit-il tout bas, vous feriez envoler l'oiseau. »

Elle ne songeait guère non plus à répondre.

Ils restèrent quelque temps ainsi. Mme Dufour s'était assise quelque part, car on entendait vaguement, de temps en temps, les petits cris de la grosse dame que lutinait sans doute l'autre canotier.

La jeune fille pleurait toujours, pénétrée de sensations très douces, la peau chaude et piquée partout de chatouille-

D.R.

Claude Monet, *En canot sur l'Epte*, v. 1890, São Paulo, musée d'art.

« La yole semblait glisser. Des arbres se montrèrent sur l'île, dont la berge était si basse que les yeux plongeaient dans l'épaisseur des fourrés. »

ments inconnus. La tête de Henri était sur son épaule ; et, brusquement, il la baisa sur les lèvres. Elle eut une révolte furieuse et, pour l'éviter, se rejeta sur le dos. Mais il s'abattit sur elle, la couvrant de tout son corps. Il poursuivit longtemps cette bouche qui le fuyait, puis, la joignant, y attacha la sienne. Alors, affolée par un désir formidable, elle lui rendit son baiser en l'étreignant sur sa poitrine, et toute sa résistance tomba comme écrasée par un poids trop lourd.

Tout était calme aux environs. L'oiseau se remit à chanter. Il jeta d'abord trois notes pénétrantes qui semblaient un appel d'amour, puis, après un silence d'un moment, il commença d'une voix affaiblie des modulations très lentes.

Une brise molle glissa, soulevant un murmure de feuilles, et dans la profondeur des branches passaient deux soupirs ardents qui se mêlaient au chant du rossignol et au souffle léger du bois.

Une ivresse envahissait l'oiseau, et sa voix, s'accélérant peu à peu comme un incendie qui s'allume ou une passion qui grandit, semblait accompagner sous l'arbre un crépitement de baisers. Puis le délire de son gosier se déchaînait éperdument. Il avait des pâmoisons prolongées sur un trait, de grands spasmes mélodieux.

Quelquefois il se reposait un peu, filant seulement deux ou trois sons légers qu'il terminait soudain par une note suraiguë. Ou bien il partait d'une course affolée, avec des jaillissements de gammes, des frémissements, des saccades, comme un chant d'amour furieux, suivi par des cris de triomphe.

Mais il se tut, écoutant sous lui un gémissement tellement profond qu'on l'eût pris pour l'adieu d'une âme. Le bruit s'en prolongea quelque temps et s'acheva dans un sanglot.

Ils étaient bien pâles, tous les deux, en quittant leur lit de verdure. Le ciel bleu leur paraissait obscurci ; l'ardent soleil était éteint pour leurs yeux ; ils s'apercevaient de la solitude et du silence. Ils marchaient rapidement l'un près de l'autre, sans se parler, sans se toucher, car ils semblaient devenus ennemis irréconciliables, comme si un dégoût se fût élevé entre leurs corps, une haine entre leurs esprits.

De temps à autre, Henriette criait : « Maman ! »

Un tumulte se fit sous un buisson. Henri crut voir une jupe blanche qu'on rabattait vite sur un gros mollet ; et l'énorme dame apparut, un peu confuse et plus rouge encore, l'œil très brillant et la poitrine orageuse, trop près peut-être de son voisin. Celui-ci devait avoir vu des choses bien drôles, car sa figure était sillonnée de rires subits qui la traversaient malgré lui.

Mme Dufour prit son bras d'un air tendre, et l'on regagna les bateaux. Henri, qui marchait devant, toujours muet à côté de la jeune fille, crut distinguer tout à coup comme un gros baiser qu'on étouffait.

Enfin l'on revint à Bezons.

M. Dufour, dégrisé, s'impatientait. Le jeune homme aux cheveux jaunes mangeait un morceau avant de quitter l'auberge. La voiture était attelée dans la cour, et la grand-mère, déjà montée, se désolait parce qu'elle avait peur d'être prise par la nuit dans la plaine, les environs de Paris n'étant pas sûrs.

On se donna des poignées de main, et la famille Dufour s'en alla. « Au revoir ! » criaient les canotiers. Un soupir et une larme leur répondirent.

Deux mois après, comme il passait rue des Martyrs, Henri lut sur une porte : *Dufour, quincaillier.*

Il entra.

La grosse dame s'arrondissait au comptoir. On se reconnut aussitôt, et, après mille politesses, il demanda des nouvelles. « Et mademoiselle Henriette, comment va-t-elle ?

— Très bien, merci, elle est mariée.

— Ah !...

Une émotion l'étreignit ; il ajouta :

— Et... avec qui ?

— Mais avec le jeune homme qui nous accompagnait, vous savez bien ; c'est lui qui prend la suite.

— Oh ! parfaitement. »

Il s'en allait fort triste, sans trop savoir pourquoi. Mme Dufour le rappela.

« Et votre ami ? dit-elle timidement.

— Mais il va bien.

— Faites-lui nos compliments, n'est-ce pas ; et quand il passera, dites-lui donc de venir nous voir... »

Elle rougit fort, puis ajouta : « Ça me fera bien plaisir ; dites-lui.

— Je n'y manquerai pas. Adieu !

— Non... à bientôt ! »

L'année suivante, un dimanche qu'il faisait très chaud, tous les détails de cette aventure, que Henri n'avait jamais oubliée, lui revinrent subitement, si nets et si désirables, qu'il retourna tout seul à leur chambre dans le bois.

Il fut stupéfait en entrant. Elle était là, assise sur l'herbe, l'air triste, tandis qu'à son côté, toujours en manches de chemise, son mari, le jeune homme aux cheveux jaunes, dormait consciencieusement comme une brute.

Elle devint si pâle en voyant Henri qu'il crut qu'elle allait défaillir. Puis ils se mirent à causer naturellement, de même que si rien ne se fût passé entre eux.

Mais comme il lui racontait qu'il aimait beaucoup cet endroit et qu'il y venait souvent se reposer, le dimanche, en songeant à bien des souvenirs, elle le regarda longuement dans les yeux.

« Moi, j'y pense tous les soirs, dit-elle.

— Allons, ma bonne, reprit en bâillant son mari, je crois qu'il est temps de nous en aller. »

Photo Roger-Viollet

Jean Renoir

RENOIR
(1894-1979)

Jean Renoir est le deuxième fils du peintre impressionniste Auguste Renoir et le frère de l'acteur Pierre Renoir. Né à Paris en 1894, il s'engage dans l'armée après des études médiocres et participe à la guerre de 1914-1918, notamment comme aviateur. Il devient céramiste et épouse un modèle de son père, Catherine Heuchling. Très impressionné par les films d'Eric von Stroheim, et désireux de faire de sa femme une vedette, il se lance alors dans le cinéma. Il réalise en 1924 *La Fille de l'eau*, hymne à la beauté de Catherine (devenue Catherine Hessling pour l'écran). Mais on remarquera surtout *Nana* (1926) adapté du roman d'Émile Zola.

Le premier film parlant de Renoir est *On purge Bébé* (1931) d'après la célèbre pièce de Feydeau, avec Fernandel et Michel Simon. Vient alors la période des films les plus importants : *Boudu sauvé des eaux* (1932), œuvre remarquable par l'interprétation de Michel Simon, et *Le Crime de M. Lange* (1936), avec Jules Berry[1]. C'est au cours de cette même année qu'il tourne *Partie de campagne* qui, inachevée, ne sortira qu'en 1946. Se rapprochant, à cette époque, du Front populaire, Renoir exalte la Révolution

1. Ainsi que *Toni* (1934), considéré comme un film précurseur du néo-réalisme italien.

française dans *La Marseillaise* (1938). Mais c'est *La Grande Illusion* (1937) qui demeurera son film le plus célèbre, marqué par les interprétations de Stroheim, de Fresnay et de Gabin. Cette œuvre pacifiste montre comment, pendant les guerres, les affinités sociales peuvent se manifester malgré les barrières nationales. En 1939, il réalise *La Règle du jeu*, film mélancolique révélant à la veille de la guerre une société en pleine décomposition, son chef-d'œuvre.

L'occupation allemande conduit Renoir, en 1940, à se réfugier aux États-Unis où il acquiert la nationalité américaine. Il s'adapte mal aux conditions de création qu'il rencontre à Hollywood et réalise plusieurs films, où l'on ne retrouve sans doute pas sa réussite d'avant-guerre mais qui méritent d'être redécouverts. *Le Fleuve* (1950), qu'il tourne en Inde, est une de ses œuvres majeures.

De retour en Europe, il séjourne bientôt en Italie où il réalise une libre adaptation du *Carrosse du Saint-Sacrement* de Mérimée, sous le titre *Le Carrosse d'or* (1952). En France, ce sera *French Cancan* (1954) en souvenir de l'époque 1900, où il fait de nouveau jouer Jean Gabin, et *Le Déjeuner sur l'herbe* (1959), puis *Le Testament du Docteur Cordelier* (1959), inspiré par *Dr Jekyll et Mr Hyde* de Stevenson. Ces œuvres ne retrouvent pas les succès d'antan et Renoir lui-même finit par s'intéresser davantage à la télévision, au théâtre et à ses souvenirs. Il donne en 1962 *Renoir*, biographie de son père ainsi que *Ma Vie et mes films* (1974). Il meurt en 1979.

La critique s'accorde généralement à reconnaître que la meilleure période de Jean Renoir est celle qui commence avec l'avènement du parlant et s'achève à la veille de la Seconde Guerre mondiale.

L'ADAPTATION DE RENOIR

La nouvelle de Maupassant est courte. Le film de Renoir, d'une durée de 40 minutes, est tout aussi bref. Ce n'est pas, bien entendu, la seule ressemblance que l'on puisse découvrir entre les deux œuvres et Renoir est, d'une façon générale, très fidèle à Maupassant. Au reste le film et la nouvelle révèlent d'évidentes affinités entre leurs auteurs : ils communient dans la même aversion naturaliste des petits bourgeois qu'ils caricaturent avec une égale férocité. Et il existe chez eux un semblable anarchisme latent : la cellule familiale, et même la société tout entière ne peuvent qu'engendrer sinon le malheur du moins un perpétuel mécontentement, une morne résignation... La fascination pour la nature, et en particulier pour le fleuve, si difficile à domestiquer, traduit une même tendance libertaire. Les rares et précaires instants de bonheur que l'homme connaît ne peuvent être en définitive que dérobés à la société : tel est le triste constat qui semble se dégager des deux œuvres.

Si on pouvait noter des différences entre la nouvelle et le film, ce serait surtout du côté de l'atmosphère : il y a chez Renoir un climat libertin et même « rigolard » qu'on ne décèle pas chez Maupassant. « Ce sont les yoles, Anatole », s'esclaffe M. Dufour. Et les deux canoëtistes apparaissent pendant une bonne moitié du film comme de joyeux farceurs qu'ils n'étaient pas dans la nouvelle où ils sont peu développés.

En ce qui concerne M. Dufour et Anatole, Renoir a forcé le trait comique : ce sont des pantins, ce sont Laurel et Hardy. En fin de compte on note chez le cinéaste une exubérance, et une truculence absentes de l'œuvre de Maupassant. D'où, dans son film, un effet de contraste saisissant avec la triste fin d'une histoire si allégrement commencée.

Enfin le hasard — un mauvais temps imprévu — a permis à Renoir de dramatiser opportunément les dernières minutes de son film. Juste après les amours des deux jeunes gens, le vent se lève, les roseaux s'agitent, les peupliers se courbent. Et la pluie va tomber sur la rivière... comme sur toute leur vie...

ANALYSE DU FILM

Aussitôt après le générique apparaît un carton qui fournit aux spectateurs les renseignements nécessaires à l'intelligence du film : Monsieur Dufour, quincaillier à Paris, « entouré de sa belle-mère, de sa femme, de sa fille Henriette et de son commis, Anatole, qui est aussi son futur gendre et son futur successeur, a décidé, après avoir emprunté la voiture de son voisin le laitier, en ce dimanche de l'été 1860, d'aller se retrouver face à face avec la nature ».

Tous ces personnages, parvenant devant le restaurant Poulain, situé au bord de la Seine, décident d'y prendre leur repas. Dans l'auberge se trouvent deux jeunes canoétistes, habitués des lieux, Henri et son ami Rodolphe : ils observent Henriette et sa mère, en train de faire de la balançoire en attendant le repas. Rodolphe conçoit le projet de conquérir la jeune fille malgré les mises en garde de son ami : Henriette, prétend-il, risque d'être enceinte et de voir sa vie gâchée. Mais Rodolphe n'en a cure. Pendant ce temps, M. Dufour enseigne à son commis les joies de la pêche, sport dont il ignore tout. À quelques mètres de là, Henriette confie à sa mère que la campagne lui inspire une sorte de « tendresse pour l'eau, pour l'herbe, pour les arbres... une espèce de désir vague » dont elle se sent troublée.

Les Dufour découvrent alors la présence de deux superbes yoles en bois vernis attachées à un ponton. M. Dufour, qui a jadis canoté, contemple avec envie les embarcations :

ce sont celles d'Henri et de Rodolphe. Le commerçant et sa famille, s'apprêtant à déjeuner sur l'herbe, s'aperçoivent que les jeunes gens se sont installés à la place qu'ils convoitaient, sous le cerisier. Rodolphe saisit l'occasion pour la leur offrir et faire ainsi la connaissance des deux femmes. Profitant d'un éloignement de Dufour, il leur propose de faire un tour sur la rivière « tous les quatre ». Cyprien, auquel sa femme demande son autorisation, y voit d'autant moins d'inconvénients que Rodolphe, très diplomate, leur prête deux cannes à pêche à lui et à Anatole... Il remercie les jeunes gens avec effusion...

Henri, très attiré par Henriette, oublie ses scrupules et entraîne la jeune fille, tandis que son camarade, beau joueur, s'écrie : « Je suis sportif, je prends la mère. » Les deux yoles s'éloignent du rivage...

Un peu après, Henri propose à Henriette de visiter une île à la végétation touffue pour se « dégourdir les jambes ». La jeune fille qui avait d'abord hésité, accepte lorsque sa mère — dont la yole croise la sienne — l'informe qu'elle va continuer sa promenade « jusqu'au bout » avec M. Rodolphe.

Dans l'île, au chant du rossignol, Henriette se donne à Henri, tandis qu'un peu plus loin, Rodolphe lutine Madame Dufour.

Viennent ensuite différents plans du paysage annonçant une averse : un ciel assombri, des peupliers courbés par le vent. Bientôt des gouttes de pluie frappent l'eau.

Apparaît alors une vue de la rivière portant en surimpression les mots suivants : « Des années ont passé avec des dimanches tristes comme des lundis. Anatole a épousé Henriette et un certain dimanche que voici... »

Henri débarque de sa yole dans l'île. Il découvre Henriette assise à côté d'Anatole endormi. Ils se regardent. Elle s'approche de lui.

« Je viens souvent ici, dit le jeune homme. Tu sais, j'y ai mes meilleurs souvenirs.

— Moi, j'y pense tous les soirs, réplique son interlocutrice. »

Anatole, réveillé et qui n'a rien vu, appelle sa femme. Il est temps de partir.

Henri, caché sous les feuillages, regarde s'éloigner la barque d'Henriette. La caméra cadre une yole vide amarrée à un arbre de la berge. Et c'est sur l'image de l'eau que se termine le film.

GÉNÉRIQUE

Visa de censure n° 789 en date du 8.5.1946
Producteur : Pierre BRAUNBERGER pour les films du Panthéon
Distribution : Sylvia BATAILLE — Henriette Dufour
Georges SAINT-SAËNS [DARNOUX] — Henri
Jeanne MARKEN — Madame Dufour
GABRIELLO — Monsieur Dufour
Jacques BOREL [BRUNIUS] — Rodolphe
Paul TEMPS — Anatole
Gabrielle FONTAN — La grand-mère
Jean RENOIR — Le père Poulain
Marguerite RENOIR — La servante
Alain RENOIR — Le jeune pêcheur
Metteur en scène : Jean RENOIR
Premier assistant : Jacques BECKER
Deuxième assistant : Henri CARTIER[-BRESSON]
Troisième assistant : Luchino VISCONTI [non crédité]
Quatrième assistant : Yves ALLEGRET [non crédité]
Direction du montage : Marguerite HOULLE-RENOIR
Monteuse : Marinette CADIX
Musique : Joseph KOSMA
La chanson est chantée par Germaine MONTERO
Orchestre sous la direction de Roger DESORMIÈRES
Directeur de la photo : Claude RENOIR
Jean-Serge BOURGOIN
Assistant opérateur : A. VIGUIER
Photographe : Elie LOTAR
Administrateur : J.B. BRUNIUS
Ingénieur du son : Joseph de BRETAGNE
COURMES

Apparaissent en séminaristes : Georges BATAILLE
Henri CARTIER-BRESSON
Pierre LESTRINGUEZ

Tournage : juillet-août 1936
Longueur : 1232 m
Durée actuelle : 40 minutes

La *claquette*, planchette portant le numéro du plan à tourner, instrument indispensable au montage du film.

L'ensemble des photos du film de Jean Renoir provient de la collection Christophe L.

UNE PARTIE DE CAMPAGNE
découpage, après montage définitif et
dialogue *in extenso*

Carton n° 1 :
Ce film, réalisé par Jean Renoir, n'a pu être, pour des raisons de force majeure, tout à fait terminé.
En l'absence de Jean Renoir, actuellement en Amérique, soucieux de respecter son œuvre et d'en conserver le caractère, nous avons décidé de vous le présenter tel qu'il est. Pour le rendre compréhensible, nous y avons ajouté deux sous-titres.

Carton n° 2 :
M. Dufour, quincaillier à Paris, entouré de sa belle-mère, de sa femme, de sa fille et de son commis Anatole qui est aussi son futur gendre et son futur successeur, a décidé, après avoir emprunté la voiture de son voisin le laitier, en ce dimanche de l'été 1860, d'aller se retrouver face à face avec la nature.

Plan 1[1] *Vue générale d'une rivière, en légère plongée. Par un panoramique (haut-bas) on découvre, en premier plan, un enfant qui pêche à la ligne, du haut du pont.*

1. Ces précisions indiquent les changements de plans. Par la suite, seuls les numéros figureront dans le texte.

2 *Puis, en panoramique, la voiture des laitiers.* **3** *On la reprend en contre-plongée s'arrêtant derrière l'enfant qui sort, à cet instant, un poisson de l'eau.*

ANATOLE *(Paul Temps)* : Ça mord ?
MONSIEUR DUFOUR *(Gabriello)* : Y a du poisson ?
LE GOSSE : Y en a qui disent qu'y en a pu !... Y en a qui disent qu'y en a encore ! Le tout, c'est de savoir les prendre !

L'enfant ramasse sa ligne et s'éloigne.

ANATOLE : M'sieur Dufour !
MONSIEUR DUFOUR : Eh bien ! mes enfants, vous savez, je crois que nous avons tapé dans le mille. Il y a là un restaurant. Ça doit être le bon coin. On va déjeuner là. Ça t'va, madame Dufour ?
MADAME DUFOUR *(Jane Marken)* : Ça m'va.

M. Dufour tire sur les rênes et la voiture démarre du côté opposé où est parti l'enfant.

MONSIEUR DUFOUR : Le chemin passe sous le pont. Il va falloir faire le tour. Hue ! Cocotte !

4 *Nous découvrons alors, en travelling avant, le restaurant de M. Poulain enfoui dans la verdure. D'abord sa façade, puis le côté, sur lequel sont accrochées une grande plaque : « Restaurant Poulain — Matelotes — Fritures — Cabinets de société — Balançoires » et une petite plaque : « Repas 2 fr. 50. ».*

MADAME DUFOUR, *en off* : Y a de l'ombre ! On sera au frais !
HENRIETTE *(Sylvia Bataille), en off* : Y a des balançoires ! On va s'amuser !
ANATOLE : Qu'est-ce que nous allons prendre comme poissons !
MONSIEUR DUFOUR, *off* : Je crois mes enfants que nous allons nous offrir un de ces p'tits balthasars ! Vous m'en direz des nouvelles !

La servante descend les escaliers.

MADAME DUFOUR, *en off* : Restaurant Poulain. Matelotes — fritures — cabinets de société — balançoires — repas 2 fr. 50. Le prix est raisonnable !

5 *En plan demi-ensemble, la voiture entre dans le champ. Anatole marche près du cheval qu'il arrête.*

MONSIEUR DUFOUR : Ho ! ho ! ho ! là.

M. Dufour descend et aide Mme Dufour à descendre. Il veut la prendre dans ses bras.

MADAME DUFOUR : Tiens ! Tiens ! Aide-moi. C'est haut ! Oh ! non, voulez-vous bien rester tranquille, monsieur Dufour.

La servante apparaît à gauche. Anatole quitte le cheval et se précipite devant elle.

LA SERVANTE *(Marguerite Renoir)* : Bonjour, m'sieurs dames !

ANATOLE : Avez-vous des cannes à pêche ?

LA SERVANTE : Non, monsieur, on n'a pas de ça !

ANATOLE : Oh ! on ne pêche donc pas ici ?

LA SERVANTE : Si. Mais les pêcheurs apportent toutes leurs affaires avec eux.

ANATOLE, *se tournant vers M. Dufour* : Dites-donc, m'sieur Dufour. Ils ont pas de cannes à pêche ! Faut aller ailleurs !

MADAME DUFOUR : Oh ! non ! Maintenant que je suis descendue, on reste ici ! Il fait bien trop chaud sur la route.

MONSIEUR DUFOUR : Tu as raison, ma chérie. *(Il l'embrasse.)* On va déjeuner ici. *(À la servante.)* Appelez-moi votre patron, je vous prie !

LA SERVANTE : Oui, monsieur, tout de suite.

HENRIETTE, *restée dans la voiture* : Alors, grand-mère, tu es contente d'être arrivée ? On va bien déjeuner.

LA GRAND-MÈRE *(Gabrielle Fontan) assise également dans la voiture* : Non, non, j'ai faim.

MONSIEUR DUFOUR : Bon, bon ! Reste là dans la voiture.

(À sa fille.) Henriette, on va la descendre à l'ombre, derrière la maison. Allez cocotte, viens !

6 *Plan moyen de l'intérieur du restaurant. Henri et Rodolphe, en premier plan sur le pas de la porte, regardent la servante et M. Poulain se dirigeant vers eux.*

RODOLPHE *(Jacques Borel)* : Dis-donc ! c'est des laitiers !
HENRI : Qu'est-ce que tu veux que ça me fiche.
LA SERVANTE : Oui, c'est des laitiers : ils ont une voiture de laitiers !
RODOLPHE : Quel genre de laitiers ?
LA SERVANTE : C'est une famille !
RODOLPHE : Oh ! Zut alors ! c'est la fin de tout ! On n'a plus qu'à faire nos malles.
HENRI *(Georges Darnoux)* : Si ça te plaît pas, t'as qu'à rester chez toi.
RODOLPHE : Si encore y avait des femmes.
LA SERVANTE : Y en a des femmes ! Y en a trois !
RODOLPHE : Y en a trois ?
HENRI : Tiens, v'l'à le plus beau !

M. Poulain arrive sur le pas de la porte et donne un seau à Henri.

LA SERVANTE : Monsieur Poulain, ils veulent déjeuner !
MONSIEUR POULAIN *(Jean Renoir)* : Bon, bon, on y va. Dites, monsieur Henri, c'est d'l'eau fraîche pour la table.
HENRI : Merci, veuf Poulain !

Henri sort du champ avec son seau. Rodolphe, attachant son fixe-moustache, suit Henri. Panoramique vers la gauche, perdant M. Poulain et la servante.

MONSIEUR POULAIN : Dites-donc, m'sieur Henri, votre pêche de ce matin, j'vous en fais une friture ?

Panoramique vers la gauche, perdant M. Poulain et la servante, pour recadrer en plan moyen Rodolphe rejoignant Henri, dans le fond de la pièce.

M. Poulain : *Dites-donc, m'sieur Henri, votre pêche de ce matin, j'vous en fais une friture ?*

RODOLPHE : Oh ! non, merci, le poisson j'en ai soupé ! T'en veux, toi, Henri ?
HENRI : Depuis qu'il y a la fabrique, le poisson sent le pétrole !

7 *Plan rapproché de M. Poulain dans l'encadrement de la porte.*

MONSIEUR POULAIN : Alors, je l'donne aux chats.
HENRI, *en off* : Donnez-les aux Parisiens, ils seront ravis !
MONSIEUR POULAIN : Ah ! ça c'est une idée ! J'vous remercie bien m'sieur Henri !

La servante apparaît à côté de M. Poulain.

LA SERVANTE : Alors, m'sieur Poulain, les clients vous attendent !
MONSIEUR POULAIN : Bon. Bon. *Il sort*

8 *On revient sur Rodolphe et Henri, au fond de la pièce. Ils vont se mettre à table. La servante s'approche de leur table et remplit une cruche, avec l'eau du seau qu'elle retire de la table. Elle sort du champ.*

RODOLPHE : Ils vont certainement déjeuner sur l'herbe, les Parisiens, ça déjeune toujours sur l'herbe. Si ça continue, on sera bientôt forcé d'aller au moins jusqu'à Corbeil pour être tranquille.
HENRI : Oh ! ben mon vieux, c'est dommage ; on était rudement bien ici ; les gens du pays étaient gentils. On était près de Paris, on pouvait faire tout ce qu'on voulait !
RODOLPHE : On aurait presque pu se baigner en petit caleçon ; le père Poulain aurait trouvé ça très bien.
LA SERVANTE : Ben, et le garde-champêtre !
RODOLPHE : C'est un ami. On a encore pris un canon avec lui avant-hier.
LA SERVANTE : Faut pas vous y fier !

9 *Henri, en plan rapproché, allume une cigarette.*

HENRI : Mon vieux, les Parisiens, c'est comme les microbes. Quand y en a un qui se faufile quelque part, tu peux être sûr que huit jours après ça pullule !

RODOLPHE *en off* : Alors, qu'est-ce qu'on fait aujourd'hui ?

HENRI : Mon vieux, il faut fuir !... On va remonter la rivière en yole...

10 *Contre-champ en gros plan sur Rodolphe qui retire son fixe-moustache.*

HENRI *en off* : ... Et ce soir, quand nous reviendrons, ces laitiers seront partis.

RODOLPHE : De la yole par cette chaleur, c'est un p'tit peu rasoir !

11 *Sous un autre axe, de profil, Henri et Rodolphe à table. Rodolphe prend une bouteille des mains d'Henri.*

RODOLPHE : Arrête, malheureux, tu sauras jamais bien faire une purée [1]. On regarde un peu la tête qui z'ont ?

Il se lève et ouvre les volets. Au loin on aperçoit les Dufour autour des balançoires.
Pendant que Rodolphe ne le voit pas, Henri se verse un grand verre de pastis, qu'il avale d'un trait.
12 *Plan d'ensemble des balançoires. Henriette se balance debout sur l'une d'elles. Mme Dufour, plus près de nous, est assise sur l'autre, M. Dufour arrive derrière elle pour lui donner de l'élan. Anatole se tient au montant du portique tandis que M. Poulain entre dans le champ, à côté de lui. Au premier plan, la grand-mère se tient à l'autre montant.*

MADAME DUFOUR : Ce coin est bien choisi par monsieur Dufour. *(phrase peu compréhensible)*

HENRIETTE : Oui, maman, c'est très joli !

MADAME DUFOUR : Ah ! Est-ce qu'on pourrait avoir une friture.

MONSIEUR POULAIN : Ah ! oui ; j'ai justement ce qu'il vous faut !

---

1. Henri verse trop fort l'eau sur la fourchette à sucre de l'absinthe. Rodolphe, lui ayant pris la carafe des mains, la verse plus lentement sur le sucre.

MADAME DUFOUR : Oh ! quelle chance ! On va avoir de la friture !

MONSIEUR DUFOUR : Ben là ! c'est naturel, au bord de la rivière, quoi !

ANATOLE : J'aurais préféré la pêcher moi-même !

M. Dufour pousse Mme Dufour.

MADAME DUFOUR : Alors, vous allez nous faire une petite friture, un bon p'tit lapin sauté, de la salade et du dessert *(Un temps.)* Pousse-moi fort, Cyprien !

MONSIEUR DUFOUR : Dites, patron, vous mettrez deux litres de vin blanc et puis du Bordeaux rouge.

M. Poulain sort du champ, par la gauche.

HENRIETTE : Dis papa, on déjeunera sur l'herbe ?

MONSIEUR DUFOUR : Quoi ? On n'est pas à la campagne pour s'enfermer !

13 *Plan rapproché d'Henriette se balançant. La caméra suit son mouvement.*

MONSIEUR DUFOUR, *en off* : Allez, tiens bon, tiens bon !

MADAME DUFOUR, *en off* : Oh ! non, arrête, Cyprien, arrête, j'ai le vertige.

14 *On revient près du portique pour cadrer en plan américain la grand-mère et M. Dufour. Derrière, Henriette et Mme Dufour continuent de se balancer.*

LA GRAND-MÈRE : Si on déjeunait ici ! Mon gendre, on déjeune ici ?

MONSIEUR DUFOUR : C'est déjà commandé !

Mais la grand-mère s'approche plus près de M. Dufour qui lui crie à l'oreille.

LA GRAND-MÈRE : Ah ! faut déjà s'en aller !

MONSIEUR DUFOUR : Non, on vous écrira !

Anatole est derrière M. Dufour et lui tape sur l'épaule.

ANATOLE : On va tout de même voir la rivière, monsieur Dufour ?

MONSIEUR DUFOUR : Mais oui, Anatole, mais oui ! J'ai tellement chaud que j'me déboutonne, tiens ! Allons-y mon vieux, va !

Tous deux sortent du champ à droite, tandis que la grand-mère reste médusée, ne comprenant pas. **15** *De nouveau, Henriette se balançant (plan rapproché taille, en plongée).* **16** *Panoramique latéral pour suivre la grand-mère s'éloignant. En fin de panoramique, apparaissent des séminaristes.* **17** *On reprend ces derniers en plan américain, s'arrêtant et jetant un long regard vers les balançoires.* **18** *Plan général des balançoires avec les deux femmes.* **19** *Le supérieur fait avancer les séminaristes, jetant lui-même un regard intéressé vers le portique.*
20 *Vue en plongée d'Henriette se balançant, venant et s'éloignant de la caméra. Dans le mouvement, son chapeau tombe à terre.*
21 *Plan rapproché de visages de gosses qui observent la scène de derrière un mur.*
22 *La caméra de nouveau accompagne Henriette sur sa balançoire.*
23 *À la fenêtre du restaurant, plan moyen sur Rodolphe qui, accoudé, se lisse les moustaches en regardant intensément vers la balançoire. En face, Henri est à table et la servante apporte les plats.*

LA SERVANTE : Y a du fromage de tête et du vin blanc. Ça vous va ?
RODOLPHE : Tais-toi, ne m'dérange pas. Nous sommes extrêmement occupés !
HENRI, *avec un geste de la main* : Monsieur est en pleine conférence !

Henri se retourne vers la servante qui le suit (il murmure une phrase inaudible).

24 *Plan général d'Henriette et de Mme Dufour se balançant.*

RODOLPHE, *en off* : Belle invention l'escarpolette !

On revient sur Rodolphe et Henri.

25 *De nouveau Henriette et Mme Dufour.*

26 HENRI : Un attrape-nigauds ! Tu vois tout et tu vois rien du tout !

RODOLPHE, *se lissant la moustache* : Oh ! ben, c'est parce qu'elle est debout ! Si elle pouvait s'asseoir, le paysage deviendrait beaucoup plus intéressant.

27 *On revient sur les balançoires avec les deux femmes.*
28 *Rodolphe continue de lisser sa moustache.*
29 *Henriette et sa mère sur les balançoires (plan d'ensemble). Henriette s'assoit.* **30** *Henriette assise sur la balançoire, la caméra en nette contre-plongée, avec les frondaisons en arrière-plan et sa mère en amorce, à droite.* **31** *Plan rapproché de Rodolphe à la fenêtre, l'air égrillard.* **32** *Même plan que* **30** *: Henriette entre et sort du plan, au rythme de l'escarpolette.* **33** *Henri et Rodolphe, encadrés par la fenêtre, à l'intérieur du restaurant. Au fond, la servante est revenue pour servir.*
33 *À l'intérieur du restaurant, sur Rodolphe s'asseyant en face d'Henri, dont on aperçoit la nuque en amorce.*

RODOLPHE : J'ai envie d'aller leur parler. Elles seront sûrement très flattées de faire notre connaissance !

HENRI : Comme c'est malin ! Tu vas les effaroucher, elles vont se réfugier près de leurs hommes, et tout ce que tu vas gagner, c'est de faire une partie de tonneau avec les laitiers !

RODOLPHE : Tu crois ?

HENRI : Oh ! c'que j't'en dis c'est pour toi mon vieux ! Dans le fond, j'm'en bats l'œil ! Ce genre d'aventure ne m'intéresse pas.

34 RODOLPHE : Nous savons ! Tu es l'homme des liaisons éternelles ! *(plan rapproché poitrine)*

Pendant que Henriette fait de la balançoire, commentaire de Rodolphe :

— *Belle invention, l'escarpolette !*

35 *Contre-champ sur Henri, avec le même cadrage. Il boit et prend une cigarette.*

HENRI : Qu'est-ce que ça veut dire, mon p'tit ami ?
RODOLPHE, *en amorce* : Ben ! la belle Hortense, tu l'as gardée quinze mois.
HENRI : Oh ! mais c'était une belle fille !
RODOLPHE : D'accord ! Mais quelle cruche ! Au bout de huit jours, j'en aurais eu soupé !
HENRI : C'que j'lui demandais, ça n'avait rien à voir avec l'intelligence !
RODOLPHE, *toujours en amorce* : Et la grande Léa ? Celle-là, si elle n'avait pas épousé ce pauvre Gustave, tu l'aurais encore !
HENRI : Moi, qu'est-ce que tu veux, mon vieux ! j'ai une âme de père de famille. Les putains m'ennuient,... les femmes du monde encore plus et les autres... j'trouve ça trop dangereux.
36 RODOLPHE, *en plan rapproché* : Ouais, tu as peur des maladies.
37 HENRI, *plan rapproché* : Non, des responsabilités. Suppose que t'arrives à plaire à cette petite fille qui s'balance si gentiment ! Ben, qu'est-ce que t'en ferais ?
38 RODOLPHE, *en plan rapproché* : Je l'inviterais à faire un tour en yole. Nous aborderions dans l'île au-dessus du barrage de la fabrique. Et puis l'barrage de la fabrique. Une fois là, à moi les folles voluptés ! *(Avec un geste de la main significatif et égrillard.)*
39 HENRI, *en contre-champ* : Si tu lui fais un enfant ?
40 RODOLPHE : Oh ! Si on devait faire un enfant chaque fois qu'on s'amuse un peu..., la terre serait surpeuplée !
41 HENRI : Oui, mais si elle tombe amoureuse de toi ?
42 *Plan rapproché de Rodolphe, sous un autre axe, avec un petit air content.*
RODOLPHE : Ben !... ça prouverait qu'elle a bon goût !
43 HENRI, *en contre-champ* : Fais pas l'idiot, mon vieux ! Je n'te vois pas du tout dans la laiterie ! *(Un temps.)* Naturellement, tu ne donneras pas suite, et puis de l'autre côté, voilà peut-être une vie brisée, gâchée, quoi... Ça vaut pas la peine, mon vieux !

44 *À l'extérieur, contre-plongée sur Henriette en balançoire passant au-dessus de la caméra.*

MADAME DUFOUR, *en off* : Descends, Henriette, allons retrouver ton père.

45 *On revient à l'intérieur du restaurant avec Rodolphe et Henri (en premier plan) regardant par la fenêtre, Henriette, descendue de sa balançoire et courant vers sa mère (floues).*

HENRI : Elle est gentille cette fille ; elle est gentille !
RODOLPHE : Mais j'te dis qu'elle est épatante. On l'habillerait un peu qu'elle serait pourrie de chic !

46 *Plan rapproché de M. Poulain, s'avançant, une poêle à la main.*

MONSIEUR POULAIN : J'vous ai fait une omelette à l'estragon.

47 *Raccord dans le mouvement de M. Poulain s'approchant de la table pour servir Rodolphe et Henri.*

MONSIEUR POULAIN : Alors, m'sieur Henri. Ça vous dit plus rien le fromage de cochon !
HENRI, *tapant sur le ventre de M. Poulain* : Non, ma grosse, j'en veux plus d'l'omelette !
MONSIEUR POULAIN, *regardant vers les balançoires* : Dites donc, vous avez vu les Parisiens ? La femme est rudement bien ! *(entrée de la servante)*
RODOLPHE : Vous voulez dire la fille ?
MONSIEUR POULAIN : Oh ! la p'tite ! j'l'ai pas regardée ! Elle est trop maigre !
RODOLPHE : Alors, c'est la mère qui vous intéresse ?
48 MONSIEUR POULAIN, *en off sur Rodolphe, tendant son assiette* : Et comment qu'c'est la mère ! Parlez-moi d'un morceau !

49 *On revient sur le plan moyen de la table, M. Poulain, continuant de servir, la servante derrière lui.*

MONSIEUR POULAIN : Avec elle, au moins, on peut s'occuper ! Puis alors avec ça, bien mise ! La finesse ! L'élégance !

HENRI : Vous m'mettez l'eau à la bouche !

MONSIEUR POULAIN : Dites-donc, mais j'ai pas le temps ! Mais si j'étais à votre place, j'sais bien c'que je ferais !

M. Poulain quitte la table avec sa poêle. La servante dépose une assiette puis quitte le champ à son tour.

LA SERVANTE : Regardez-moi ça, un veuf !

50 Plan rapproché de Henri, vu de trois-quarts.

HENRI : Décidément, la mère l'intéresse beaucoup, le vieux !

51 RODOLPHE, *en contre-champ* : Tu vas voir. Tout va s'arranger ! Moi, les responsabilités ne me font pas peur ! j'prends la fille avec les risques de vie gâchée !... d'enfant naturel ! Toi, avec la mère, tes scrupules ne tiennent plus. On va passer un bon après-midi ! *(Il se frotte les mains.)* Mais, dis-moi, faut-il les aborder séparément ou en groupe ?

52 HENRI : Tu sais, ces gens-là, c'est comme les harengs ; ça voyage en groupe et c'est inséparable !

RODOLPHE, *en off* : Mets pas tant de sel, tu vas attraper la pépie !

53 *Plan de demi-ensemble de la grand-mère prenant un chat dans ses bras. Elle sort du champ, tandis qu'apparaissent Henriette et Mme Dufour, qui vont s'asseoir sous un arbre.*

LA GRAND-MÈRE : Minet ! oh ! Minet ! Minet ! *(elle sort)*

HENRIETTE : Dis, on pourrait peut-être déjeuner ici ?

MADAME DUFOUR : Ah ! oui, à l'ombre de ce p'tit arbre, on serait pas mal ! Tu es sûre qu'il n'y a pas de fourmis ?

HENRIETTE : Non, il n'y a pas de fourmis ! Dis, y a des cerises ! Tu crois qu'on pourrait en manger ?

MADAME DUFOUR : Il faudra peut-être demander la permission, ma petite fille !

54 *Sur un plan demi-ensemble de la berge, Anatole, debout dans une barque accostée, frappe l'eau d'une* *branche. M. Dufour apparaît, avec de grands gestes, lui faisant signe d'arrêter.*

MONSIEUR DUFOUR : Chut ! chut ! vous êtes fou, mon vieux, quoi ! Vous allez effrayer le poisson, donc ! Quoi, vous n'y pensez plus, non ! Vous voyez cette souche-là ?

55 *M. Dufour a rejoint Anatole dans la barque. Ils sont cachés, en plan moyen, face à la caméra. M. Dufour a le doigt pointé vers l'eau.*

ANATOLE : Quelle souche ?

MONSIEUR DUFOUR : Au bout de mon doigt, là ! Dessous ! Le trou d'ombre !

ANATOLE : Oui, oui.

MONSIEUR DUFOUR : C'est un repère de poissons carnassiers. Il y aurait là-dessous un brochet en train de guetter sa proie qu'ça ne m'étonnerait pas !

ANATOLE : Un brochet ?

MONSIEUR DUFOUR, *en off sur un panoramique découvrant l'eau et leurs reflets, puis on revient sur eux* : Une bête comme ça, ça vous dévore une fois son poids de fretin tous les jours ! Sa voracité bien connue l'a fait surnommer le requin d'eau douce. Et avec ça, difficile à attraper. D'un seul coup de dent, ça vous cisaille un triple crin de première qualité !

56 ANATOLE : Et si ça vous attrape un doigt, est-ce que ça peut le couper ? *(plan américain des deux)*

MONSIEUR DUFOUR : Ça peut aller au moins jusqu'à l'os ! Ça a des crocs, jusqu'au fond de la gueule.

ANATOLE : Y en a des drôles de choses au fond de la rivière !

MONSIEUR DUFOUR : M'en parlez pas mon pauvr' vieux, allez ! La nature n'a pas encore livré à l'homme tous ses secrets ! Tiens en voici un !

ANATOLE : Un brochet ?

MONSIEUR DUFOUR : Non, un chevesne !

ANATOLE : Un cheval ?

MONSIEUR DUFOUR : Mais non pas un cheval ! Anatole, vous êtes insupportable ! Un chevesne ! Ça s'prend avec des cerises, du reste.

ANATOLE : Il est tout petit !
MONSIEUR DUFOUR : Ouah ! Il est pas si petit qu'ça.

Ils quittent le champ à droite.

ANATOLE : Et dire qu'on n'a pas de cannes à pêche !
57 HENRIETTE, *en gros plan* : Maman, regarde la jolie chenille toute dorée !
58 MADAME DUFOUR, *en gros plan* : La touche pas ma petite fille ; ça te donnerait des boutons !

59 *Plan moyen de Mme Dufour et d'Henriette, assises sous le cerisier. Elles regardent à terre, Mme Dufour jouant avec des brins d'herbes.*

HENRIETTE : C'n'est pas sale ! ça ne mange que de l'herbe ! Comme c'est étonnant, la campagne. Sous chaque brin d'herbe, il y a des tas de petites choses, qui bougent, qui vivent, si naturelles. Chaque fois qu'on pose son pied on manque d'en écraser !
MADAME DUFOUR : Oh ! ben alors, si on pensait à tout ça, on ne ferait plus rien !
HENRIETTE : Je m'demande si ces petites bêtes souffrent et ont du plaisir comme nous ?
MADAME DUFOUR : Mais non, voyons ; c'est pas comme les personnes ! Et puis elles sont bien trop petites.
HENRIETTE : Pourtant elles viennent au monde et elles meurent comme nous !
MADAME DUFOUR : Mais au fait, je me demande comment ça fait des petits une chenille ?
HENRIETTE : Ça fait pas de petits ! Celle-là, grosse comme elle est et toute dorée, fera sûrement un beau papillon !

60 *La caméra s'approche un peu, en plan rapproché. Henriette se penche vers sa mère.*

MADAME DUFOUR : On en voit des drôles de choses !...
HENRIETTE : Dis donc, maman, quand tu étais jeune,... enfin quand tu avais mon âge..., est-ce que tu venais souvent à la campagne ?
MADAME DUFOUR : Non pas souvent ! Comme toi !

HENRIETTE : Est-ce que tu te sentais toute drôle comme moi aujourd'hui ?

Mme Dufour passe son bras autour du cou d'Henriette et l'attire à elle.

MADAME DUFOUR : Toute drôle ?

61 *Gros plan d'Henriette posant son visage sur l'épaule de sa mère.*

HENRIETTE : Enfin, oui ; est-ce que tu sentais une espèce de tendresse pour l'herbe, pour l'eau, pour les arbres... Une espèce de désir vague, n'est-ce pas ? Ça prend ici, ça monte, ça vous donne presque envie de pleurer. Dis maman, tu as senti ça quand tu étais jeune ?
MADAME DUFOUR : Mais ma petite fille, je l'sens encore ! Seulement, je suis plus raisonnable !

62 *Plan d'ensemble avec, au premier plan, Henriette et Mme Dufour. Au fond, M. Dufour et Anatole.*

ANATOLE : Eh ! venez voir ! Y a des bateaux qui sont chouettes !... des drôles de bateaux !
HENRIETTE : Oh ! des bateaux ! des bateaux ! Viens voir, maman !

Henriette se lève et court vers son père et Anatole.

MADAME DUFOUR : Ton chapeau, Henriette !
HENRIETTE *se retournant à peine* : Laisse-le, maman, puisqu'on déjeune là !

Mme Dufour se lève précipitamment pour les rejoindre. Dans son mouvement, elle accroche sa robe à des ronces.

MADAME DUFOUR : Oh ! oh ! ma jupe ! Oh ! c'est salissant la campagne !
MONSIEUR DUFOUR *au loin* : Dites donc, mais ce sont des yoles, Anatole ! Ça m'connaît ces instruments-là, moi !

63 *Plan moyen de Rodolphe et Henri sortant du restaurant. On les accompagne en travelling latéral.*

RODOLPHE : Dis-donc, puisque tu es d'accord pour cette... heu !... partie de pêche ! Si nous choisissions nos engins !
HENRI : On pêchera au lancer. C'est le grand chic !
RODOLPHE : Au lancer ! Avec un mort ? Avec un vif ? ou avec un leurre artificiel ?
HENRI : Pour les femmes avec un leurre, parbleu !
RODOLPHE : Mais pêcherons-nous du bord ou en bateau ?
HENRI : En bateau, mon vieux, c'est plus chic !

Henri botte les fesses de Rodolphe et se sauve.

64 *Raccord de mouvement, pour voir apparaître Henri et Rodolphe se poursuivant et se rejoignant devant la caméra, après être passés sous le linge qui sèche.*

HENRI, *prenant le bras de Rodolphe* : Allez, viens, mon vieux, va. Écoute Rodolphe, vieux.

65 *Plan américain des deux, cadrés de profil (raccord dans le mouvement).*

HENRI : Pour la mère, j'ai envie de choisir l'épervier !
RODOLPHE : De toute façon, le travail c'est d'appâter !
HENRI : Pour appâter, mon vieux, il faut un appât !

Rodolphe s'éloigne un peu, ramasse le chapeau d'Henriette et revient près d'Henri.

RODOLPHE : L'appât, le voici !
HENRI, *prenant le chapeau* : Montre ! Montre ! Je la vois très bien ce matin en train d'épingler ces petites fleurs avant de partir.
RODOLPHE : Heu ! Allez, rends-le moi !
HENRI : Pourquoi ?
RODOLPHE : Tu vas voir !
HENRI : Oh ! si tu veux !

Ils s'éloignent un peu et vont s'allonger, à l'endroit même où se trouvaient Henriette et Mme Dufour.
66 *Rodolphe effeuille les fleurs du chapeau (raccord dans le mouvement).*

RODOLPHE : Elle m'aime un peu, beaucoup, passionnément, pas du tout.

HENRI : Je m'demande s'il faut continuer cette aventure. On est si bien dans l'herbe à fumer son cigare.

RODOLPHE : Ça va bien un quart d'heure. Après ça devient rasoir.

Lent panoramique sur le paysage alentour.

HENRI : Le vent a l'air de tourner à l'ouest ! Y a de drôles de nuages qui s'courent après !

RODOLPHE, *en off* : Oh ! et puis les mouches ! Qu'est-ce qu'elles ont donc aujourd'hui !

HENRI, *en off* : Il va y avoir de l'orage !

RODOLPHE, *en off* : Tant mieux, ça nous calmera !

67 *Gros plan en légère plongée des yoles. Un léger panoramique à gauche découvre la famille Dufour, penchée vers les yoles.*

MADAME DUFOUR : Alors, c'est ça une yole ? C'est tout pointu !

MONSIEUR DUFOUR : Ben c'est à cause de la vitesse !

HENRIETTE : Tu n'aimerais pas faire un tour ?

MADAME DUFOUR : Oh ! non, voyons ! J'aurais bien trop peur !

MONSIEUR DUFOUR : Peur ! Mais non ! Une fois lancée, la vitesse maintient l'équilibre.

ANATOLE : Eh ben ! Pour monter dans ce truc-là, il faudrait me payer cher !

HENRIETTE : Moi, j'aurais pas peur !

MADAME DUFOUR : Mais faut savoir nager d'abord.

ANATOLE : Mais vous savez nager, m'sieur Dufour ?

MONSIEUR DUFOUR : Oui ! Oui ! c'est-à-dire que j'ai su. Maintenant j'ai oublié. N'est-ce pas le commerce, tout ça... On n'a pas le temps.

HENRIETTE, *retirant une dame* : Qu'est-ce que c'est que ce petit machin-là, dis papa ?

MONSIEUR DUFOUR : Ça, mon enfant, c'est pour maintenir les avirons. Ça s'appelle une « dame ». C'est ce qui fait dire que les canotiers ne sortent jamais sans leur dame !

(Rires.) Ah ! Ah ! Ah !... **68** *(Monsieur Dufour en gros plan.)* Eh bien ! moi, c'est bien simple, avec un engin comme ça, je suis prêt à parier que je ferai du 25 km à l'heure sans m'presser !

69 *La famille Dufour, vue de la rive opposée. Au-dessus de l'embarcadère des yoles, se trouve un petit auvent, sous lequel se tient la famille.*

HENRIETTE : Que j'aimerais faire un tour ! Est-ce qu'on ne pourrait pas les louer ?

MONSIEUR DUFOUR : Mais non, mon enfant ! Des canots comme ça, ça appartient sûrement à des clients. Et puis le temps a l'air de se gâter. *(Suçant son doigt et le mettant dans le vent.)* Attends ! Hum ! Il arriverait un grain, qu'ça n'm'étonnerait pas !

ANATOLE : Un grain ?

La servante apparaît dans le fond.

MONSIEUR DUFOUR : Ben, vous n'comprenez rien, Anatole ! Un grain, quoi ! Un orage ! Dans la marine on dit un grain !

LA SERVANTE : Le déjeuner est prêt ! Où faut-il que j'vous serve ?

MADAME DUFOUR : Eh bien, s'il va pleuvoir, vaudrait mieux dedans !

HENRIETTE : Oh ! Non, maman ! Laisse-nous déjeuner dehors sous le cerisier.

MADAME DUFOUR : Qu'est-ce que t'en penses, monsieur Dufour ?

MONSIEUR DUFOUR : Ta fille a raison, voyons. On est venu ici pour prendre un bol d'air ! Je le disais encore avant-hier à Anatole : « À Paris, c'qui manque, c'est "l'ossygène" ».

ANATOLE : Oh ! ça c'est bien vrai !

70 *Ils sortent de dessous l'auvent. M. Dufour aide Mme Dufour à monter sur la berge (contre-champ).*

LA SERVANTE : Alors, dedans ou dehors ?

HENRIETTE : Dehors, sous le cerisier, où on a coupé l'herbe !

LA SERVANTE : Comme vous voudrez !

HENRIETTE : C'est permis de manger des cerises ?

LA SERVANTE : Bien sûr pardi !

Anatole entre dans le champ.

HENRIETTE : Anatole, voulez-vous prévenir grand-mère que nous allons déjeuner ?

MADAME DUFOUR : Et vous en profiterez pour apporter les ombrelles, hein, en cas de pluie, ça peut servir !

Anatole sort du champ.

71 *Plan moyen en légère plongée sur Henri et Rodolphe, allongés dans l'herbe. Rodolphe prend le chapeau d'Henriette à la main.*

72 *Contre-champ sur M. et Mme Dufour et Henriette, qui regardent leur place occupée.*

HENRIETTE : Ils ont pris notre place !

MONSIEUR DUFOUR : Ça doit être les propriétaires des bateaux. Qu'est-ce que tu veux, ils sont bien libres ! On n'a qu'à se mettre ailleurs !

MADAME DUFOUR : Ben ailleurs, ailleurs ; où çà ?

MONSIEUR DUFOUR : Près de l'embarcadère, par exemple !

MADAME DUFOUR : Oh ! non, c'est plein d'orties !

Anatole apporte les ombrelles.

MONSIEUR DUFOUR : Enfin !

HENRIETTE : N'importe où, sur l'herbe !

MONSIEUR DUFOUR : Près du pont peut-être ?

ANATOLE : Oh ! oui, près du pont, m'sieur Dufour !

HENRIETTE : J'regrette le cerisier.

MADAME DUFOUR : En tout cas, va reprendre ton chapeau !

HENRIETTE : Bon.

Henriette, en plan moyen, s'avance vers Rodolphe. On la suit en travelling latéral.

73 *En contre-champ, Rodolphe se levant et venant*

vers Henriette et se découvrant. On le suit en travelling de sens contraire.
74 *Plan rapproché de Rodolphe et Henriette se rencontrant (raccord dans le mouvement).*

RODOLPHE, *tendant son chapeau à Henriette* : Vous avez perdu votre chapeau, mademoiselle ?
75 HENRIETTE : Merci, monsieur.

Rapide contre-champ sur M. Dufour, renfrogné, et Mme Dufour, s'inclinant.

MADAME DUFOUR : Merci, monsieur, vous êtes bien aimable !

76 *Retour sur Rodolphe et Henriette en plan rapproché. Henriette va s'éloigner quand Rodolphe lui prend le bras.*

RODOLPHE : Vous avez l'intention de déjeuner sur l'herbe ?
HENRIETTE : Oui, monsieur.
RODOLPHE : Et vous aviez choisi le cerisier à cause des cerises ! J' vous préviens, elles sont pas fameuses. De toute façon, l'endroit est à vous !

77 *Plan d'ensemble avec, au premier plan, Rodolphe et Henriette, au fond, M., Mme Dufour et Anatole.*

MONSIEUR DUFOUR : Vous êtes sûr que ça ne vous dérange pas, monsieur ?
RODOLPHE : Mais non, mais non, au contraire.
MADAME DUFOUR : Vous êtes trop aimable !
RODOLPHE : Je vous en prie, madame !

Ils viennent alors vers la caméra. En tête, M. Dufour, qui trébuche sur un buisson, salue de nouveau Rodolphe. À sa suite, Mme Dufour, puis la grand-mère et Anatole, qui saluent également.

MONSIEUR DUFOUR : Si j'accepte vraiment, c'est pour ces dames. Merci mille fois. Vous êtes fort aimable.
MADAME DUFOUR : Merci beaucoup, monsieur !
HENRIETTE : Merci beaucoup, monsieur.

Henri entre dans le champ.
Venant à la caméra, elle le croise, se retourne, le temps d'un bref regard, puis sort du champ en avant. Au fond, Rodolphe prend le bras d'Henri et l'entraîne.
78 *Plan d'ensemble du cerisier, sous lequel la famille s'installe. La servante déplie la nappe, tandis que M. Dufour aide la grand-mère à s'asseoir.*

MONSIEUR DUFOUR : Oh ! on va être bien là comme ça. Ben Henriette, tu l'as ton cerisier, hein, bravo !

MADAME DUFOUR : Ces jeunes gens sont bien convenables. Ce sont des fils de famille !

MONSIEUR DUFOUR : Oh ! ce ne sont sûrement pas des commerçants ! Venez grand-mère. Venez-là. Faites sisit là.

79 *Plan moyen de Rodolphe et Henri, allumant une cigarette, assis dans l'herbe.*

MADAME DUFOUR : Ah !

RODOLPHE : Ça s'engage bien. Il est trop tôt pour ferrer. Le poisson n'a pas encore engamé l'èche.

HENRI : Quoi ?

RODOLPHE : Engamé l'èche ! Idiot, tu comprends donc rien ?

HENRI : Si mon vieux, mais tu m'ennuies avec tes termes techniques, c'est tout.

RODOLPHE : L'èche. L'asticot, quoi !

HENRI : Écoute, vieux, quand même, la petite, là-bas, pour une fille de boutiquier, elle se tient rudement bien. T'à l'heure mon vieux, elle t'a parlé avec une aisance qui m'a surpris.

80 *Plan rapproché de la grand-mère, assise sur sa chaise et se penchant vers M. Dufour. Pendant le plan, la main d'Anatole prend quelque chose dans le panier de la grand-mère.*

LA GRAND-MÈRE : Ce sont les frères Prévert ?

MONSIEUR DUFOUR : Mais, non, belle-maman, ce sont des canotiers !

LA GRAND-MÈRE : Ah ! oui, oui, les frères Prévert, je les

ai connus quand ils étaient tout petits, mais je croyais que l'aîné était au petit séminaire ?

MONSIEUR DUFOUR : Ouais ! ouais ! On vous écrira. Ouais ! ouais ! ouais !

81 *Sur un plan, plus large, vu de face, M. Dufour servant à boire à sa femme la grand-mère au milieu.*

MONSIEUR DUFOUR : Un peu de vin blanc, Juliette ?
MADAME DUFOUR : Oh ! oui, j'ai soif.
MONSIEUR DUFOUR : Ah ! c'est du bon, celui-là, tiens. Là !
MADAME DUFOUR : Merci, mon Cyprien.
MONSIEUR DUFOUR : Là !
MADAME DUFOUR : T'es beau ! *(au chat)*

82 *On recadre, en plan moyen, Mme Dufour et panoramique sur Henriette à côté d'elle ; Henriette lève le bras, prend une cerise et la mange.*
Fondu au noir.
83 *Gros plan d'un nuage noir sur ciel blanc.*
84 *Fondu enchaîné sur la servante, descendant les escaliers et rajustant son tablier.*

LA SERVANTE : J' crois qu'i vont s' faire saucer les Parisiens !

85 *Plan d'ensemble en plongée : vue des escaliers sur la famille allongée, faisant la sieste.* **86** *Plan rapproché de Mme Dufour, allongée sur le ventre, la robe dégrafée dans le dos.*

87 MADAME DUFOUR : Monsieur Dufour... *(câline)*

On revient sur Henriette et Mme Dufour, en plan moyen. Au premier plan, la servante débarrasse.

LA SERVANTE : Vous n'avez plus besoin de rien ?
HENRIETTE : Non. Non.
MADAME DUFOUR : Non.
ANATOLE, *en off* : (Hoquet.)

On panoramique sur Mme Dufour qui rampe vers son mari, une herbe à la main. En fin de mouvement, on cadre Anatole qui a le hoquet.

88 *Plan rapproché en légère contre-plongée de Mme Dufour, chatouillant avec une herbe le visage de son mari somnolent.*

MADAME DUFOUR : Monsieur Dufour... *(câline)*
MONSIEUR DUFOUR : Heu !
MADAME DUFOUR : Si on faisait un p'tit tour dans le bois, derrière la maison. Cyprien ! Tu te rappelles, l'année dernière, à Conflans-Sainte-Honorine, quand on s'est perdus dans la forêt de Saint-Germain ?

M. Dufour ne répond pas. Il émet un grognement et se retourne.

MONSIEUR DUFOUR : Heu !

89 *Mme Dufour se relève et s'éloigne, mécontente. Léger recadrage en panoramique.*
90 *Plan rapproché, très bref, d'Anatole endormi, en forte plongée. Il hoquette.*

91 MADAME DUFOUR : Heu !

Puis de nouveau, un hoquet d'Anatole.
Mme Dufour se rassied près d'Henriette et de la grand-mère, qui s'est endormie, le chat sur les genoux.

MADAME DUFOUR, *d'une voix énervée* : Je suis sûre qu'il y a des fourmis, ici !
HENRIETTE : Mais non maman ; il y a pas de fourmis ! Tu te fais des idées !
MADAME DUFOUR : Oh ! mais non, dans mon corsage. Délace-moi !

Hoquet d'Anatole en off.

MADAME DUFOUR : Oh ! c' qui peut être énervant celui-là.

92 *Plan rapproché d'Anatole hoquetant, en plongée forte.*
93 *Plan rapproché de Mme Dufour. Henriette, derrière elle, lui délace son corset. Mme Dufour est furieuse.*

MADAME DUFOUR : Oh ! Anatole, assez avec ce hoquet !

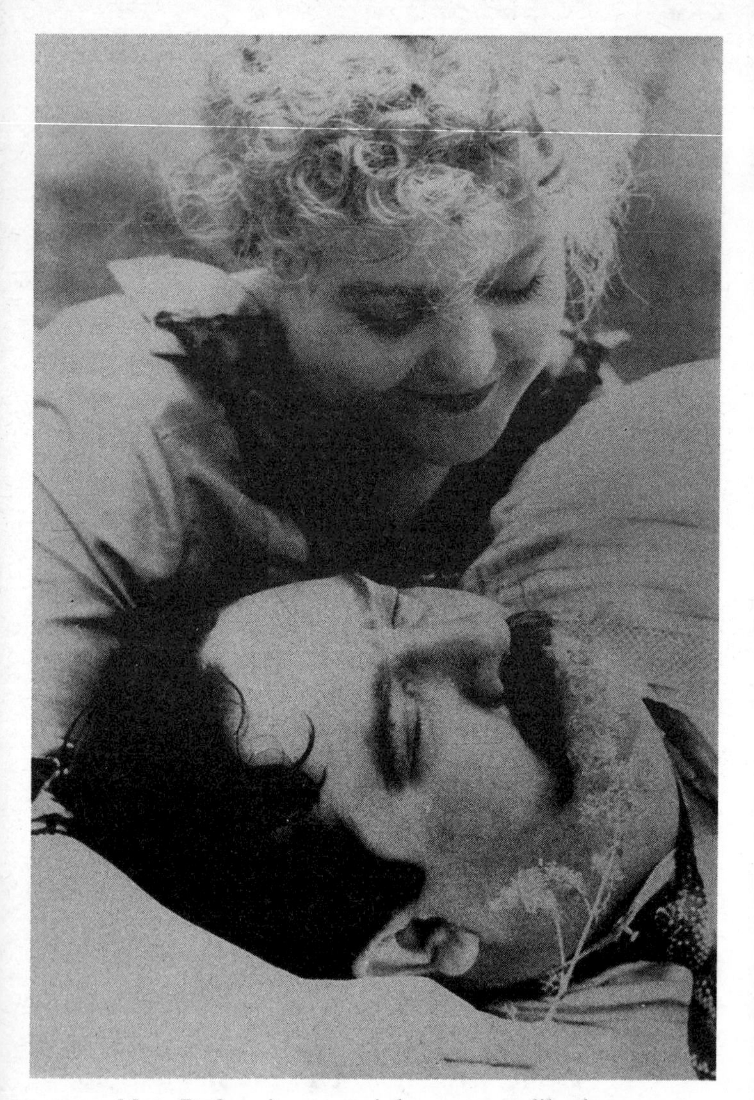

Mme Dufour à son mari dormant sur l'herbe :

— *Si on faisait un p'tit tour dans le bois, derrière la maison, Cyprien ! Tu te rappelles l'année dernière, à Conflans-Sainte-Honorine, quand on s'est perdus dans la forêt de Saint-Germain ?*

94 *Plan moyen de M. Dufour et d'Anatole se retournant lourdement et regardant Mme Dufour. Anatole a un nouveau hoquet.*
95 *Plan rapproché de Mme Dufour piquant une crise de nerfs. Elle se renverse dans les bras de Henriette qui essaie de la calmer.*

MADAME DUFOUR : Monsieur Dufour, faites taire Anatole ou je vais avoir une crise de nerfs !
HENRIETTE : Calme-toi, maman, on va lui faire boire un verre d'eau !

96 *Gros plan de M. Dufour et Anatole, l'air complètement ébahi.*

MONSIEUR DUFOUR : Un verre d'eau, ma chérie ? Mais on n'a que du vin !

97 *Contre-champ sur Mme Dufour.*

MADAME DUFOUR : Oh ! si vous étiez un homme ! Vous sauriez en trouver de l'eau ! *(pleurs hystérique feints)*

98 *Anatole, péniblement, s'assied et se tourne vers M. Dufour qui lui donne son diagnostic.*

ANATOLE : (Hoquet.)
MONSIEUR DUFOUR : Mais, Anatole, vous êtes ridicule !
ANATOLE : (Hoquet.)
MONSIEUR DUFOUR : Oh ! ça, ça vient de l'estomac ! Venez à la cuisine, j' m'en charge !

M. Dufour relève Anatole.
99 *Plan de demi-ensemble de l'endroit. Au premier plan à gauche, M. Dufour rattrape et entraîne Anatole. Au fond à droite, Henriette grattant Mme Dufour et la servante continuant de débarrasser.*

MONSIEUR DUFOUR : Où va-t-il maintenant ?
ANATOLE : (Hoquet.)
MONSIEUR DUFOUR : Anatole, vous êtes fou ! Vous allez à la rivière maintenant ? Vous allez vous noyer en plus de ça !
ANATOLE : (Hoquet.)

MONSIEUR DUFOUR : Il est fou cet animal-là ! Avancez !
MADAME DUFOUR : Gratte-moi, Henriette !
HENRIETTE : Comme ça, maman ?
MADAME DUFOUR : Non, pas là ! C'est plus à droite, là. Ah ! c'est ça ! Là ! Oh ! ça fait du bien ! Ah !

100 *Plan américain de la grand-mère somnolant sur sa chaise, le minet sur ses genoux ; celui-ci tout à coup se sauve.*

LA GRAND-MÈRE : Minet ! Minet !

101 *Rodolphe et Henri, en plan moyen, toujours assis dans l'herbe, se lèvent.*

RODOLPHE : J' crois qu'on peut ferrer !
HENRI : Si tu veux !

102 *Plan général nous montrant au premier plan Henriette, cherchant à reboutonner le corsage de sa mère, et dans le fond, Henri et Rodolphe s'approchant.*

MADAME DUFOUR : Reboutonne-moi, Henriette.
HENRIETTE : J' peux pas, maman, on nous regarde !

Mme Dufour fait des contorsions pour se masquer à la vue des deux hommes. Henriette finit de lui reboutonner son corsage.

MADAME DUFOUR : Joli temps, messieurs !
RODOLPHE : Il fait lourd, vous ne trouvez pas ?
MADAME DUFOUR : Oui, vraiment, cette chaleur n'est pas naturelle !
HENRI : J' crois que le temps est à l'orage.

Henri et Rodolphe viennent s'asseoir auprès d'elles. Rodolphe vole la place d'Henri à côté d'Henriette.

RODOLPHE : Vous permettez ?
MADAME DUFOUR : Oh ! mais je vous en prie !

103 *On les recadre en plan moyen, en excluant Henri, hors cadre.*

RODOLPHE, *allumant une cigarette* : La fumée ne vous dérange pas ?

MADAME DUFOUR : Oh ! non. J'y suis habituée, mon mari est une vraie locomotive.

RODOLPHE : Vous avez eu une bonne idée de venir ici, mademoiselle !

MADAME DUFOUR : Oh ! la friture était excellente !

RODOLPHE : Je veux dire une bonne idée pour nous... parce que chez le père Poulain, ça manque un peu de société.

MADAME DUFOUR : Ah ! oui !

RODOLPHE : Nous le constations tout à l'heure en prenant l'apéritif. Aussi, quand on nous a annoncé la visite de jolies Parisiennes...

104 *Gros plan de Henri, haussant les épaules et détournant la tête.*

MADAME DUFOUR, *en off* : Ah ! vraiment, monsieur, vous exagérez !

105 *On revient sur le plan moyen.*

RODOLPHE : Du tout, madame, du tout. Je n'ai jamais été aussi sincère !

MADAME DUFOUR : Ah ! ces hommes, tous les mêmes.

RODOLPHE : Et ensuite, mademoiselle, on vous a vues sur les balançoires. Quelle grâce ! Quel charme ! Nous étions aux anges ! Je n'aurais pas lâché ma place pour un boulet de canon !

Panoramique recadrant Henri, Rodolphe, Henriette.

HENRIETTE : C'est à vous, monsieur, ces jolis bateaux qui sont dans le hangar ?

HENRI : Oui, mademoiselle,... enfin à nous deux.

On revient au cadrage initial : Rodolphe, Henriette, Mme Dufour.

RODOLPHE : Vous voulez pas aller faire un tour ? Un tour en rivière tous les quatre ? Voilà qui serait épatant. Vous trouvez pas ?

106 *Plan rapproché d'Henriette et de Mme Dufour qui se mettent à rire.*

107 HENRI, *en gros plan* : On pourrait aller du côté du barrage de la Gravine. Vous verrez, c'est joli.

108 *Gros plan d'Henriette, puis léger panoramique pour recadrer Mme Dufour, qui hoche la tête.*

HENRIETTE : Oh ! oui ! oh ! oui ! Dis maman, tu veux ?

109 *Rapide panoramique, en plan rapproché, découvrant l'animosité de Rodolphe, et Henri cherchant à se protéger.*

110 *Plan rapproché de Mme Dufour et d'Henriette.*

MADAME DUFOUR : Je ne sais pas si ce serait bien convenable. Puis nous risquons d'être pris par la pluie. Et surtout, il faut demander à monsieur Dufour.
HENRI, *en off* : Le nuage est passé. Voilà le soleil.
HENRIETTE : C'est vrai, il fait beau. J'peux aller demander à papa, maman ?
MADAME DUFOUR : Mais oui ; **111** si ces messieurs veulent bien t'accompagner, ils expliqueront à monsieur Dufour. Ce sera plus convenable.

Henriette se lève.

HENRIETTE : Merci maman. *(Elle se lève. Ils partent)*

Et on raccorde dans le mouvement sur un plan d'ensemble. Rodolphe et Henri entraînent déjà Henriette quand Mme Dufour, en premier plan, rappelle sa fille.

MADAME DUFOUR : Oh ! Henriette. Vous permettez, messieurs. Ma fille vous rejoint. Oh ! Henriette. Ces jeunes gens sont parfaits. Ils ont d'excellentes manières.

Henriette agrafe la robe de sa mère, tandis que les canotiers sortent du plan. **112** *Contre-champ du plan d'ensemble. Henri et Rodolphe viennent à la caméra, repris par un travelling latéral d'accompagnement. Au fond, on distingue Henriette et Mme Dufour.*

RODOLPHE : Dis donc, toi, si je comprends bien, tu braconnes dans mes eaux.

HENRI : Et alors ?

RODOLPHE : Bien ! bien ! Accompagne-la toujours jusqu'au papa. Moi, je vais chercher des cannes à pêche.

HENRI : Vous n'êtes pas bête, mon petit ami.

RODOLPHE : Moins bête que tu ne crois.

HENRI : On verra !

Henriette rejoint Henri, tandis que Rodolphe quitte le champ vers la gauche. **113** *Henri et Henriette sont accompagnés en travelling latéral (plan rapproché taille).*

HENRI : Vous venez souvent à la campagne ?

HENRIETTE : Une fois par an, c'est peu. Et vous ?

HENRI : Moi, j'y viens tous les dimanches.

HENRIETTE : Vous avez de la chance !

HENRI : Écoutez, il faut venir. Moi, je suis seul avec mon ami.

HENRIETTE : Oh ! c'est impossible !

HENRI : Mais pourquoi ?

HENRIETTE : Nous n'avons pas le temps d'aller nous promener comme ça. Mes parents sont dans le commerce.

Rodolphe les rejoint, avec les cannes à pêche.

RODOLPHE : En somme, les responsabilités te font de moins en moins peur ! (recadrage plus large)

Henri donne un coup de pied aux fesses de Rodolphe, à la dérobée, sans qu'Henriette le voie.

HENRI : Je commence à m'y habituer.

HENRIETTE : Vous avez des responsabilités. Une entreprise, peut-être ?

RODOLPHE : Oui, mon ami et moi sommes associés. Oh ! nous ne sommes pas toujours d'accord. Nous nous tirons quelquefois dans les jambes ; mais enfin, bon an mal an, on s'en sort tout de même.

HENRIETTE : Avec les associés, c'est toujours comme ça. Papa dit qu'il préfère travailler seul.

114 *Plan moyen de M. Dufour et Anatole, s'escrimant avec les balançoires.*

ANATOLE : Ça m'a complètement passé le hoquet, monsieur Dufour.

MONSIEUR DUFOUR : J'vous l'avais bien dit, Anatole, l'eau, y a que ça. C'est un procédé infaillible.

Travelling arrière et léger panoramique, nous faisant découvrir Henri, Rodolphe et Henriette, qui se précipite vers son père.

HENRIETTE : Dis papa, tu veux bien que maman et moi nous fassions un tour sur l'eau avec ces messieurs ?

MONSIEUR DUFOUR : Sur l'eau ?

HENRIETTE : Oui, un tour en yole !

MONSIEUR DUFOUR : En yole !

RODOLPHE, *tendant les cannes à pêche* : Tenez, monsieur, si vous aimez la pêche, voilà de quoi vous amuser.

115 ANATOLE, *en gros plan, et avançant la main* : Oh ! des cannes à pêche.

116 *Plan américain de M. Dufour et d'Anatole prenant les cannes à pêche. Rodolphe leur donne également deux petites boîtes en fer contenant les appâts. Anatole n'arrêtera pas de secouer la sienne et d'y plonger les doigts.*

MONSIEUR DUFOUR : Vous nous les prêtez, messieurs ?

RODOLPHE : Mais bien sûr ; et puis tenez, voici une boîte avec des asticots et une autre avec du fromage pourri ; pour le chevesne, y a rien de tel !

ANATOLE : Qu'est-ce qu'il aime le mieux ? Les cerises ou le fromage pourri ?

MONSIEUR DUFOUR : Vous ne comprenez rien, Anatole, le chevesne mange de tout, mon ami, allons.

ANATOLE : Oh ! par exemple, on peut dire qu'on a de la chance. Pas vrai, monsieur Dufour ?

MONSIEUR DUFOUR, *bafouillant* : J'vous l'avais dit, Anatole, qu'on rentrerait à Paris avec une friture ! Alors quoi ! Messieurs, vraiment je ne sais comment vous remercier de votre gentillesse et de votre amabilité. Vous êtes très aimables et vous agissez, on peut le dire, comme de véritables gentlemen.

HENRIETTE : Alors, papa, c'est oui ou non.

MONSIEUR DUFOUR : Quoi ?

HENRIETTE : On peut y aller ?

MONSIEUR DUFOUR : Où ça ?

HENRIETTE : En yole !

MONSIEUR DUFOUR : Ah ! avec ces messieurs ? Oh ! oui, bien sûr, je suis tranquille avec ces messieurs ! Vous venez, Anatole ?

117 *Plan demi-ensemble de la scène, avec les cordes des balançoires, s'agitant au premier plan.*
M. Dufour et Anatole reviennent vers Rodolphe.

ANATOLE : Ouais.

MONSIEUR DUFOUR : Ah ! j'oubliais. À propos, dites-moi donc ; quel est le meilleur endroit pour pêcher ?

RODOLPHE : Vous n'avez qu'à suivre la rive. Vous trouverez un vieux saule tout rabougri ; c'est là que le père Poulain jette ses ordures. C'est le rendez-vous des chevesnes.

MONSIEUR DUFOUR : Eh bien ! allons à leur rendez-vous. Et merci encore !

RODOLPHE : C'est tout naturel !

MONSIEUR DUFOUR : Vous êtes fort aimable. Vous venez, Anatole ?

M. Dufour et Anatole s'éloignent. Anatole accroche son hameçon dans le bas de son pantalon et, voulant s'en défaire, fait de grands moulinets avec sa canne. Au premier plan, Henri, Rodolphe et Henriette les regardent s'éloigner.

RODOLPHE : Et voilà.

ANATOLE : Je me suis accroché avec l'hameçon.

MONSIEUR DUFOUR : Regarde-moi cet abruti ; regardez-moi ça. Il va m'éborgner avec ses perches. Avancez un petit peu là.

RODOLPHE : Allons-y, profitons de la permission.

HENRIETTE : Dépêchons-nous, il est déjà tard.

Henri a pris la main d'Henriette. Mais Rodolphe les

sépare et emmène Henriette. Henri les suit. **118** *On les reprend courant vers la caméra. Mme Dufour est en premier plan, à droite de l'écran.*

HENRIETTE : Maman, papa veut bien.
MADAME DUFOUR : Ah !

Henri en profite pour reprendre Henriette et l'emmener.
Mme Dufour prend la main de Rodolphe qui l'entraîne fermement.

MADAME DUFOUR : Vous allez me faire tomber ! Oh ! Il faut aller plus doucement que ça avec les dames. C'est que c'est fragile, une dame !
RODOLPHE : Mais c'est pour ça qu'on les aime.
MADAME DUFOUR : Oh ! Oh ! Oh !

Rodolphe quitte Mme Dufour...

RODOLPHE : Vous permettez, mesdames ?

119 *... pour rejoindre Henri qui, en plan moyen, détache sa yole de l'embarcadère.*

RODOLPHE : Ben alors, comment va-t-on s'arranger ?
HENRI : C'est tout arrangé.
RODOLPHE : Je suis bon zigue ! Je prends la mère.
HENRI : Merci.

120 *Il aide Mme Dufour à monter dans la yole.*

RODOLPHE : Allez, madame, vous la première.
MADAME DUFOUR : Vous voyez comme j'ai peur. Ce n'est pas dangereux, au moins ? Ça y est ; je me confie à vous les yeux fermés. Comme un petit enfant.
RODOLPHE : N'ayez pas peur. Je veillerai sur vous comme sur ma propre fille. *(S'asseyant.)* Dommage que ce bateau soit si étroit !
MADAME DUFOUR : Pourquoi ?
RODOLPHE : Parce que. Vous auriez pu venir vous asseoir à côté de moi. On aurait ramé ensemble comme deux amoureux !

Derrière, on aperçoit la yole d'Henri et Henriette quitter l'embarcadère.

MADAME DUFOUR : Voulez-vous bien vous taire ! J'aurais jamais osé. Avec votre petit maillot, vous avez l'air d'être tout nu !

Puis la yole de Rodolphe quitte le premier plan.
121 *Plan moyen d'Henri et Henriette dans leur yole. Henri rame doucement, faisant presque du « sur place ».*

HENRI : Alors, vous êtes dans le commerce. Mais dans quel quartier ?
HENRIETTE : Rue des Martyrs.
HENRI : Ah ! sur la Butte ! Joli coin et puis vous avez de l'air !
HENRIETTE : Moins qu'ici !
HENRI : Écoutez, puisque vos parents ne peuvent pas s'absenter, venez nous voir toute seule. Votre maman vous conduit à la gare, puis moi, je viens vous chercher ici.
HENRIETTE : Oh ! papa ne permettrait pas.
HENRI : Oh ! ben ça, c'est dommage !
HENRIETTE : Oh ! Oui, Oui !

122 *Vue d'ensemble des berges. En premier plan, de dos, Anatole et M. Dufour pêchent. Mme Dufour, dans la yole de Rodolphe, passe, faisant de grands gestes.*

MADAME DUFOUR : Monsieur Dufour, quand revient-on ? Nous allons au barrage.
MONSIEUR DUFOUR : Va où tu voudras, fais ce que tu voudras, mais tais-toi !

123 *Vue de trois quarts, en plan moyen, la pêche de M. Dufour. Il remonte un godillot, qu'il regarde, face furieuse, se balancer au bout de sa ligne. Derrière, Anatole regarde le godillot, de son air ahuri.*

MONSIEUR DUFOUR, *d'une voix blanche* : Anatole, donnez-moi votre canne à pêche.
ANATOLE : Oh ! non, m'sieur Dufour !

MONSIEUR DUFOUR : Anatole, donnez-moi votre canne à pêche !

ANATOLE : Non, m'sieur Dufour !

MONSIEUR DUFOUR : Mais vous ne comprenez rien, Anatole !

ANATOLE : Non, m'sieur Dufour !

124 *Vue d'ensemble en plongée verticale sur la yole d'Henri glissant sur l'eau.*
125 *Travelling subjectif (caméra dans la barque) le long de la rive, découvrant les herbes qui la bordent.*
126 *Plan moyen en légère plongée sur Henriette et Henri, ramant.*

HENRIETTE : J'avais une envie folle de monter dans vos bateaux.

HENRI : Mais c'est pas difficile.

HENRIETTE : Au contraire, c'est peut-être la façon dont vous ramez. On se sent réellement glisser. C'est tellement calme ici ! Il semble que ce serait mal de faire du bruit, de troubler ce silence !

HENRI : Ce silence ! Écoutez, les oiseaux font un vacarme !

HENRIETTE : Leur chant fait partie du silence !

HENRI : Vous aimez la rivière ?

HENRIETTE : Oh ! oui !

HENRI : Moi aussi ! J'y viens souvent.

127 *De nouveau, un long travelling subjectif qui nous fait tantôt nous approcher, tantôt nous éloigner de la berge, avec de brusques ralentissements. En off, Germaine Montero, bouche fermée, murmure la mélodie.*
128 *Plan rapproché de Henri ramant (plus aucun bruit).*

HENRI : Vous ne voulez pas la visiter ?

129 *Gros plan d'Henriette, détournant la tête sans répondre, un peu gênée.*

130 HENRI : Pour nous dégourdir les jambes !

Suite de gros plans alternés en champ contre-champ.

131 HENRIETTE : Monsieur Henri, j'aime mieux pas.

132 HENRI : Pourquoi donc ?

133 HENRIETTE : Parce qu'il est tard et que maman va s'inquiéter. Elle a très peur de l'eau. Elle a certainement dû se faire raccompagner par votre ami.

134 HENRI : Vous voulez vraiment rentrer ?

135 HENRIETTE : Oui.

136 HENRI : Bien. Comme vous voulez !

137 HENRIETTE : Oui. Je crois qu'il vaut mieux que je rentre.

138 HENRI : Bon. *Henri fait virer la yole.*

139 *Sur un plan d'ensemble de la rivière, arrive du fond la yole de Rodolphe et Mme Dufour. En premier plan, celle d'Henri.*

MADAME DUFOUR : Hou ! hou ! hou ! hou ! Henriette ! J'n'ai plus peur du tout. Monsieur Rodolphe est très adroit ; je continue notre promenade jusqu'au bout.

La yole de Rodolphe passe devant celle de Henri. Panoramique d'accompagnement, avec, en fin de mouvement, une vue de la rive. **140** *Cachée dans les feuillages de la berge, en léger panoramique, la caméra suit la yole d'Henri qui accoste.* **141** *Raccord de mouvement, pour reprendre Henri et Henriette, en légère plongée. Ils regardent vers le haut.*

HENRIETTE : Écoutez l'oiseau

HENRI : C'est un rossignol. Quand il chante le jour, c'est qu'une femelle couve !

HENRIETTE : Un rossignol ?

HENRI : Faisons pas de bruit ! Nous allons descendre dans le bois nous asseoir près de lui.

142 *Henri l'aide à monter sur la berge.* **143** *Ils passent tout près de la caméra. Un panoramique les suit lorsqu'ils s'éloignent sous les feuillages.*

HENRI : Courbez-vous.

144 *Ils sont repris de trois quarts face, en travelling arrière.*

HENRIETTE : Comme c'est beau ! Je n'ai jamais rien vu d'aussi beau ! Et puis c'est tout fermé comme une maison.

Henri écarte une branche qui a la forme d'une balançoire.

HENRI : Moi, je viens souvent ici. J'appelle ça mon cabinet particulier.

Henri prend Henriette par la taille. Elle le repousse. Elle regarde vers les arbres, cherchant le rossignol. Il lui reprend la taille.

145 HENRIETTE : Il est dans cet arbre.

Plan moyen d'Henri, lui prenant délicatement les mains et l'asseyant à terre. **146** *En contre-plongée, gros plan de l'oiseau, dans les branches.*
147 *Plan moyen serré d'Henriette et d'Henri, assis côte à côte. Il passe son bras autour de la taille de la jeune fille. Doucement, elle se dégage, et leurs regards restent fixés l'un à l'autre.*

148 *Plan moyen de Rodolphe aidant Mme Dufour à débarquer.*
RODOLPHE : Et vous, chère Madame, comment vous appelez-vous ?
MADAME DUFOUR : Oh ! oh ! oh ! vous êtes indiscret ! Mais pourquoi me demandez-vous cela ?
RODOLPHE : Pour vous faire la cour.
MADAME DUFOUR : Oh ! Eh bien ! devinez.
RODOLPHE : Je donne ma langue au chat.

149 *En plan rapproché, Mme Dufour jouant avec son ombrelle, Rodolphe derrière elle.*

MADAME DUFOUR : Juliette.
RODOLPHE : Eh bien ! moi, je m'appelle Roméo !
150 MADAME DUFOUR : C'est pas vrai. Vous vous appelez Rodolphe. *(retour au plan moyen)*

Henri :
— *Moi, je viens souvent ici. J'appelle ça mon cabinet particulier.*

RODOLPHE : Oui. Mais en ce moment, je préfère m'appeler Roméo.

MADAME DUFOUR : Oh ! qu'il est amusant. Où va-t-il chercher toutes ces idées-là !

Rodolphe entraîne Mme Dufour dans les bois.
151 *Plan rapproché d'Henriette et d'Henri.* **152** *Plan du rossignol dans les feuilles.* **153** *En gros plan, Henriette essuie doucement une larme.*
154 *Dans une petite clairière, Rodolphe poursuit Mme Dufour autour d'un arbre, tel un faune.*

MADAME DUFOUR : Henriette ! Henriette ! Hou ! Hou ! Oh ! oh ! oh ! Henriette !

Puis en travelling arrière, on aperçoit Rodolphe entraînant Mme Dufour derrière un arbre.

155 *(Musique dramatique) Plan moyen d'Henri cherchant à embrasser Henriette qui se refuse, tombe en arrière et se couche. Henri vient sur elle et cherche à forcer ses lèvres.*
156 *Gros plan serré : Henriette, à terre, se débat, repousse Henri, puis brusquement, jette ses bras autour de son cou et l'étreint.* **157** *Très gros plan flou du baiser. Henriette tourne son visage vers la caméra : celui-ci devient net. On voit ses larmes dans son œil, qui fixe la caméra. La main d'Henri soutient son visage.*
FONDU ENCHAÎNÉ.
158 *Henriette, étendue à côté d'Henri, en plongée (plan moyen). Gêne des deux amants. Henri détourne son visage d'Henriette et regarde droite-cadre.*
La musique qui s'apaise reprend avec un thème différent, plus lyrique.
159 *Des herbes qui bougent sous l'effet du vent, au bord de la rivière (plan rapproché).* **160** *Plan d'ensemble de la rive. Le ciel est chargé, les herbes sombres.* **161** *Des herbes, un arbre, agités par le vent. Ciel orageux (plan de demi-ensemble).* **162** *Des arbres sombres se détachent sur des nuages orageux (léger travelling latéral).*
163 *Des herbes sombres (gros plan) sur un ciel d'orage.*

Dans une petite clairière, Rodolphe poursuit Mme Dufour autour d'un arbre, tel un faune.

Henri se fait pressant...

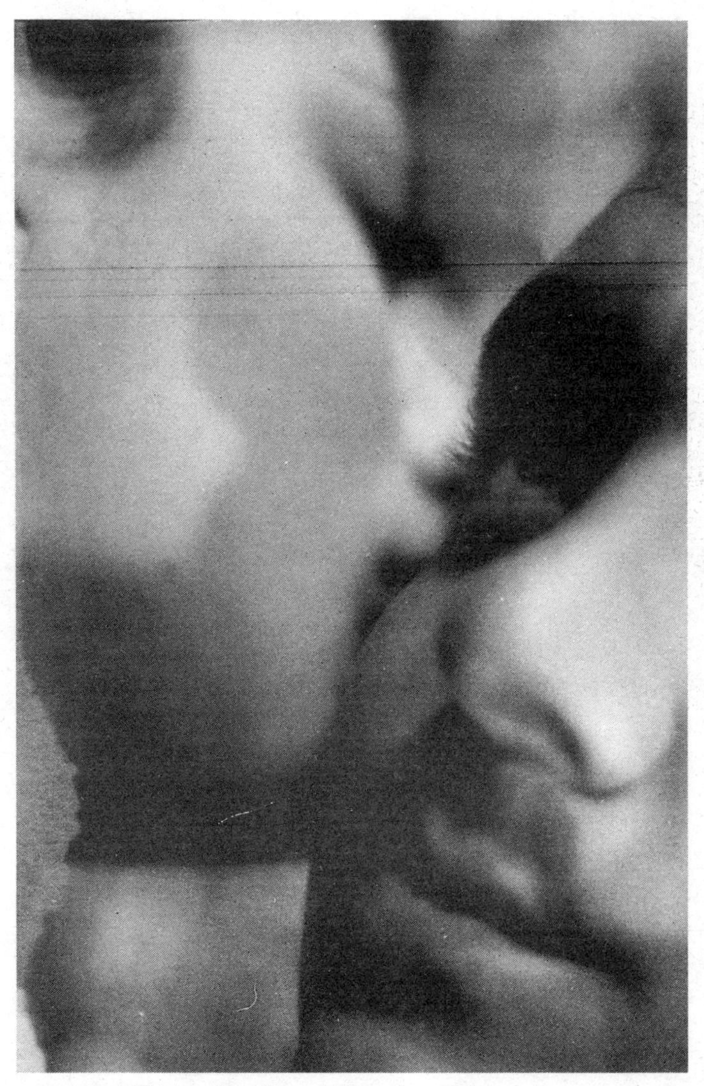

Henri cherchant la bouche d'Henriette.

164 *Un arbre agité par le vent, en contre-plongée et en plan serré.* **165** *Des herbes au bord de l'eau (plan rapproché).* **166** *Les mêmes, plus sombres, se découpant sur le ciel.* **167** *Un gros nuage noir traverse le ciel.* **168** *Travelling arrière rapide (pris d'une barque) sur la rivère où tombent de grosses gouttes de pluie (gros plan).* **169** *Plan plus large. Travelling arrière découvrant la rivière et ses bords.* **170** *Plan d'ensemble de la rivière baignée de pluie (travelling arrière). L'image devient floue.*

FONDU AU NOIR.

171 *Apparaît la même vue générale de la rivière, par temps calme, avec en surimpression :*

> Des années ont passé avec des dimanches tristes comme des lundis.
>
> Anatole a épousé Henriette et un certain dimanche que voici...

172 *Plan général de l'embarcadère, avec Henri dans sa yole.*

173 *Plan général d'Henri allant vers l'île en barque.* **174** *Travelling latéral le long de la berge, dans l'île, pour le voir accoster.* **175** *Il monte sur la berge, s'arrête quand il voit une autre barque puis repart.* **176** *Un panoramique latéral l'accompagne tandis qu'il marche dans le sous-bois.* **177** *Un travelling latéral le suit (raccord dans le mouvement). Il s'arrête un première fois, repart, s'arrête devant la « branche-balançoire ». Un panoramique rapide va découvrir Henriette, assise auprès d'Anatole qui dort. Elle se lève. Un travelling latéral gauche-droite la suit quand elle court vers Henri, qu'elle rejoint près de la « branche-balançoire ».* **178** *Gros plan d'Henri.* **179** *Gros plan d'Henriette.*

180 HENRI *(gros plan)* : Je viens souvent ici. Tu sais, j'y ai mes meilleurs souvenirs.

181 HENRIETTE *(Gros plan avec Henri en amorce.)* : Moi, j'y pense tous les soirs.

182 *Plan rapproché en plongée d'Anatole se réveillant et passant la main dans sa tignasse (musique dramatique).* **183** *Gros plan d'Henriette qui pleure.* **184** *Gros plan d'Henri.* **185** *Gros plan d'Henriette qui paraît vouloir parler, étouffe un sanglot, tourne la tête et s'en va.*

ANATOLE, *en off* : Henriette ! Henriette ! Henriette !

On reste sur Henri qui allume une cigarette tourne son visage vers la caméra et sort du cadre.
186 *Plan moyen en plongée d'Anatole. On voit les jambes d'Henriette. Recadrage suivant Anatole qui se lève.*

ANATOLE : Alors, ma bonne, je crois qu'il est temps de nous en aller !
HENRIETTE, *des sanglots dans la voix* : Oui. Oui. Oui... Oui.

Anatole ramasse ses lignes qu'il accroche dans les branches. Il tente de mettre sa veste.
187 *Henri se cache en venant vers la caméra. Début de la chanson de Germaine Montéro.* **188** *Plan américain d'Anatole et d'Henriette.*

ANATOLE : Et alors !

Henriette aide Anatole à enfiler sa veste. Celui-ci met son chapeau. Henriette prend son parapluie. Il tournent le dos et s'en vont. **189** *Henri se cache, droite-cadre. À l'arrière-plan, Henriette passe, suivie d'Anatole, qui accroche une nouvelle fois ses cannes à pêche aux branches. Il rattrape sa femme et lui prend la taille. Ils sortent droite-cadre. Henri les suit.* **190** *Henri, seul, de dos, au bord de la rivière, monte sur la fourche de l'arbre, son point d'accostage (plan moyen).* **191** *Henri, en plan rapproché poitrine, lève les yeux vers le haut de l'arbre. Fin de la chanson.* **192** *Un panoramique droite-gauche suit la cigarette qu'Henri, en plan moyen, jette dans l'eau.* **193** *Henriette rame à contre courant dans la barque où*

son mari est assis à l'arrière. Ils sortent, fond-cadre. Panoramique vertical (haut-bas) sur la barque d'Henri, vide, puis droite-gauche sur l'eau. Fin de la musique.
FONDU AU NOIR
Apparaît le mot « FIN ».

RÉACTIONS DE LA PRESSE

À sa sortie, *Une partie de campagne* ne fut pas accueilli sans réserves : ainsi, dans *L'Écran français* du 17 décembre 1946, Jean Vidal écrit :

> *On dira que ce film est inégal, qu'il manque d'homogénéité, qu'il allie à un sentimentalisme très sincère une satire sociale conventionnelle. Qu'on y trouve, à côté de passages d'une délicatesse infinie, des épisodes burlesques qui frisent le mauvais goût, que certains acteurs ont assez lourdement caricaturé leurs personnages. N'importe. Car ce qui domine dans le film de Jean Renoir, ce qui fait oublier ses imperfections, c'est l'amour de la vie qui jaillit de chaque image.*

Pour sa part, Louis Chauvet du *Figaro* observe le 18 décembre de la même année :

> *On y trouve des qualités de récit pâles, troubles et finalement attachantes. Le rythme est propre à suggérer l'atmosphère languide et un peu lourde des après-déjeuners au bord de l'eau. Mais le sujet du conte étant fort mince (une amourette du dimanche et les regrets qu'elle laisse), l'intérêt de l'œuvre réside uniquement dans la forme et même dans les nuances de forme...*

Mais plus tard, la plupart des critiques louent le film sans restrictions, ainsi André Bazin dans *Les Cahiers du cinéma*, n° 8 (1952) :

> *L'une des plus belles images de l'œuvre de Renoir et de tout le cinéma est cet instant dans* Une partie de campagne *où Sylvia Bataille va céder aux baisers de Georges Darnoux. Commencée sur un ton ironique, comique, presque chargé, l'idylle, pour se poursuivre, devrait tourner au grivois ; nous nous apprêtons à en rire et brusquement le rire se brise, le monde chavire avec le regard de Sylvia Bataille, l'amour jaillit comme un cri ; le sourire ne s'est pas effacé de nos lèvres que les larmes nous sont aux yeux.*

INDICATIONS BIBLIOGRAPHIQUES

I. Œuvres de Maupassant

Contes et nouvelles, édition de Louis Forestier, Bibliothèque de La Pléiade, 1974 et 1979, 2 vol.

Romans, édition de Louis Forestier, Bibliothèque de La Pléiade, 1987, 1 vol.

Le catalogue du *Livre de Poche* contient de nombreux titres de Maupassant.

Guy de Maupassant, *Chroniques*, « 10-18 », 1980, 3 vol.

II. Études sur Maupassant

René DUMESNIL, *Guy de Maupassant*, Tallandier, 1979 (1re édition, 1947).

Albert-Marie SCHMIDT, *Maupassant par lui-même*, « Écrivains de toujours », Le Seuil, 1962.

Henri TROYAT, *Maupassant*, Flammarion, 1989 ; Le Livre de Poche, 1991.

André VIAL, *Guy de Maupassant et l'art du roman*, Nizet, 1954.

Alberto SAVINIO, *Maupassant et l'autre*, Gallimard, 1977.

Paul MORAND, *Vie de Maupassant*, 1942 ; 1993, France-Loisirs.

III. J. Renoir

1) Livres

a) Ouvrages de Jean Renoir

Écrits 1926-1971, Belfond, 1974 ; Ramsay, « Poche cinéma », 1986.

Le Passé vivant, Éditions Cahier du cinéma, 1979.

Ma Vie et mes films, « Champs-contrechamps », Flammarion, 1987.

Lettre d'Amérique, Presse de la Renaissance, 1984.

b) Ouvrages sur Jean Renoir

André BAZIN, *Jean Renoir*, Éditions Champlibre, 1971.

Célia BERTIN, *Jean Renoir*, Éditions du Rocher, 1994.
Jean Renoir, cinéaste, Gallimard, « Découvertes » n° 209.

Claude BEYLIE, *Anthologie du cinéma*, n° 105, 1980.
Jean Renoir, le spectacle et la vie, Lherminier, 1975, Cinéma d'aujourd'hui n°2.

Armand-Jean CAULIEZ, *Jean Renoir*, Éditions Universitaires, 1962.

Franck CUROT, *Jean Renoir, l'eau et la terre*, Minard, « Études cinématographiques », 1990.

Claude GAUTEUR, *Jean Renoir, la double méprise*, Éditeurs Français Réunis, 1980.

Pierre LEPROHON, *Jean Renoir*, Seghers, « Cinéma d'aujourd'hui », 1967.

Daniel SERCEAU, *Jean Renoir, l'insurgé*, Le Sycomore, 1981.
Jean Renoir, la sagesse du plaisir, Le Cerf, 1985.

Roger VIRY-BABEL, *Jean Renoir, le jeu et la règle*, Denoël, 1986 ; Ramsay, « Poche Cinéma », 1994.

c) Ouvrages partiellement consacrés au film

Pierre BRAUNBERGER — *Cinéma-mémoire* — Centre G. Pompidou/CNC — 1987

Francis VANOYE — *Récit écrit, récit filmique* — Nathan — Université 1990

2) Revues

a) Le film

L'Avant-scène du cinéma, n° 21, décembre 1962.

Une partie de campagne, vidéo-cassette, René Chateau vidéo, « Mémoire du cinéma ».

b) Sur le film

Dossier Arts et Essais, n° 1, 2, 3, avril-mai-juin 1965.

Premier plan, n° 22, 23, 24, CERDOC, Lyon, 1980.

Cahiers du cinéma, n° 239, avril 1979 (article de J.-L. Comolli).

Image et son, avril-mai 1962.

Cinémathèque, n° 5, Printemps 1994 (article de Charles Tesson).

Positif, n° 408, février, 1995.

Trafic, n° 11, P.O.L., été 1994.

3) Émissions de télévision

J. RIVETTE, A.-S. LABARTHE, Janine BAZIN, *Renoir, le patron*, Cinéastes de notre temps, 1967.

J.-L. COMOLLI, J. NARBONI, J.-P. OUDART, S. PIERRE, *Post-face à* Une partie de campagne, Télévision scolaire.

Alain FLEISCHER, *Un tournage à la campagne*, C+, août 1994.

Claudine KAUFMAN, *Essais de partie de campagne*, Arte, mai 1994.

Table

IMPRIMÉ EN FRANCE PAR BRODARD ET TAUPIN
Usine de La Flèche (Sarthe).
LIBRAIRIE GÉNÉRALE FRANÇAISE - 43, quai Grenelle - 75015 Paris.
ISBN : 2 - 253 - 13805 - 3 ♦ 31/3805/4